iPad
完全マニュアル
2022

JN056340

iPad Perfect Manual

standards

4 Section 04 トラブル解決総まとめ

i P a d P e r f

ほとんどお手上げの人も
もっとしっかり使い
こなしたい人もどちらも
きっちりフォローします

いつでもどこでもサッと取り出して、メールやSNS、写真や動
画、地図にノートと数え上げてもきりがないほど多彩な用途に
活躍するiPad。すぐに起動し直感的に扱えるように作られて
いるとは言え、基本の仕組みや操作法、必須の設定ポイントは
押さえておきたいところだ。本書はiPadをはじめて手にした初
心者でも最短でやりたいことができるよう、要点をきっちり解説。
iPadOSや標準アプリの操作をスピーディにマスターできる。
また、さらに便利に快適に使うための設定や一歩進んだ操作法、
隠れた便利機能、活用テクニックもふんだんに紹介。この1冊で
iPadを「使いこなす」ところまで到達できるはずだ。

iPadの初期設定を始めよう

iPadの電源を入れて設定を済ませよう

iPadを購入したら、早速電源ボタンを押して画面を表示させよう。「こんにちは」と表示された場合は、まだiPadの初期設定が済んでいない状態だ。この場合、一連の設定を終えるまでiPadを使うことができない。一方で、ロック画面またはホーム画面が表示された場合は、購入したショップ側で最低限の初期設定がなされている状態だ。ただし、この状態でもWi-FiやApple IDなどの各種設定を自分で行う必要がある。そこで本記事では、iPadを初めて購入した人向けに、各種ケースにおける初期設定手順を詳しく紹介していきたい。

最初の起動画面によって手順が異なる

初期設定画面が表示された場合

設定手順 **1** P006へ

ロック画面が表示された場合

設定手順 **2** P011へ

iPadの電源を初めて入れた時、上記のどちらの画面が表示されるかで初期設定の手順が異なる。「こんにちは」画面が表示された場合はこのページから、ロック画面の場合はP011からの解説に従って、必要な設定を済ませておこう。

設定手順 **1**

初期設定画面で設定を行う

iPadの初期設定画面では、Wi-FiやFace(Touch) IDなどの重要項目をまとめて設定することができる。iPadの購入直後だけでなく、端末をリセットした場合やパソコンを使って復元作業を行った場合も、最初にこの画面が表示されるので覚えておこう。なお、「クイックスタート」機能を使えば、ほかのiPhoneやiPadからWi-FiやApple IDなどの設定を引き継げる。iPhoneやiPadをすでに持っている人は試してみよう。

端末をリセットするには?

> リセット
> すべてのコンテンツと設定を消去

iPadのデータをすべて消して初期設定からやり直したい場合は、「設定」→「一般」→「転送またはiPadをリセット」→「すべてのコンテンツと設定を消去」を実行しよう。

こんにちは

※本項で解説している設定手順は一例です。環境や状況によっては設定画面の順序が異なったり、ここでは解説していない設定画面が表示されることがあります。

利用する言語の設定

1 初期設定を開始する

> 「こんにちは」画面が表示されたら、Face ID搭載機種は画面を下から上にスワイプする。ホームボタン搭載機種はホームボタンを押して、初期設定開始

初期設定画面が表示されたら、画面を下から上にスワイプするかホームボタンを押そう。あとは画面の指示に従って、初期設定を進めていく。

2 使用する言語や国を設定する

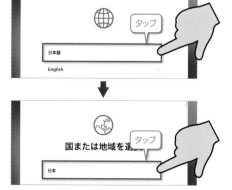

言語の選択画面で「日本語」をタップし、続けて国または地域の選択画面で「日本」をタップしよう。状況によってはこれらの設定が表示されないこともある。

3 クイックスタートは使わず手動で設定する

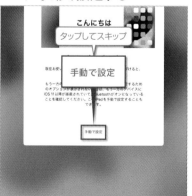

クイックスタートの画面になるが、別のiPhoneやiPadを持っていないのであれば「手動で設定」をタップ。クイックスタートを使う場合は次ページ下の記事を参照。

文字入力やWi-Fiネットワークを設定する

iPadの初期設定を始めよう

解説 アクセシビリティ を使って設定する

クイックスタート画面の右上にあるアクセシビリティボタンをタップすると、最初にVoiceOverやAssistiveTouchなど、視覚や身体のサポート機能を有効にした上で、初期設定を進めることが可能になる。

1 | 文字入力や音声入力を設定する

iPadで使用するキーボードや音声入力の種類を設定する。標準のままでよければ「続ける」をタップする。変更するなら「設定をカスタマイズ」をタップして設定しよう。

2 | Wi-Fiネットワークを設定する

付近のWi-Fiネットワーク名（SSID）が一覧表示されるので、接続するネットワークをタップしよう。続けて接続パスワードを入力したら、「接続」をタップする。

Face(Touch) IDとパスコードの設定

1 | Face IDの設定を行う

Face IDやTouch IDを登録しておけば、端末ロックの解除や各ストアの購入処理を、顔認証や指紋認証で行える。ここではFace IDを登録する。

2 | 自分の顔を登録する

「開始」をタップし、画面の枠内に自分の顔を合わせたら、指示に従って顔をゆっくり動かして登録しよう。2回登録すれば設定完了。

3 | パスコードを設定する

6桁の数字を2回入力してパスコードを作成する。「パスコードオプション」をタップすれば、4桁の数字や英数字のコードに変更することも可能だ。

解説 端末の設定を引き継げる「クイックスタート」機能を使いたい場合は?

「クイックスタート」機能を使えば、Wi-Fi接続やApple ID、パスコードといった設定内容を、別のiPhoneやiPadから自動で引き継ぐことができる。複数のデバイスを所持しているユーザーは、従来よりも簡単に初期設定を行えるのだ。ただし、Face（Touch) IDなど一部の設定は、別途手動での設定が必要となる。なお、本機能はあくまで一部設定項目が引き継がれるだけであり、別の端末のコンテンツやデータを引き継ぐには別途バックアップデータが必要だ。

1 | ほかのデバイスを近づけて設定開始

クイックスタート画面のiPadに別のiPhoneやiPadを近づけたら、「続ける」をタップして作業を開始しよう。

2 | iPadの模様をカメラで撮影して認証

iPad上に円形の青い模様がアニメーション表示されるので、引き継ぎ元のiPhoneやiPadで撮影する。

3 | パスコードを入力して残りの設定を行う

引き継ぎ元の端末のパスコードをiPad側で入力。あとは残りの設定を行えば初期設定が完了だ。

新しいiPadとして設定する

1 | 「Appとデータを転送しない」をタップする

初めてiPadを購入した場合は「Appとデータを転送しない」を選択する。バックアップデータを復元・移行したい場合は、ほかの項目を選択しよう。

各種バックアップから復元・移行する方法

iCloudやパソコンにiPadのバックアップデータがある場合は、ここで復元することができる。復元したいバックアップデータを選択し、画面に表示される指示に従おう。また、Android用の「iOSに移行」アプリを使って、Android端末から各種データを移行することも可能だ。

iCloudバックアップから復元

iCloudバックアップから復元する場合はWi-Fi接続が必須。Apple IDを入力して復元作業を行おう。

WindowsやMacから復元

パソコン内に保存してあるバックアップデータを復元するには、USB接続してiTunes（MacではFinder）で復元作業を行う。

Androidからデータを移行

Android用アプリ「iOSに移行」を使えば、Android端末の写真やメッセージなどをiPadへ移行することができる。

Apple IDの新規作成とサインイン

1 | Apple IDの設定を開始する

次に、Apple IDの設定になる。Apple IDを持っていない人は「パスワードをお忘れかApple IDをお持ちでない場合」をタップして新規取得しよう。

2 | Apple IDを新規作成する

Apple IDは、アプリや音楽をダウンロードしたり、iCloud などを利用するのに必須となる。「無料のApple IDを作成」で新規作成しておこう。

Apple IDを持っている場合は？

すでにApple IDを取得している場合は、手順1の画面でApple IDのメールアドレスとパスワードを入力し、「次へ」をタップしよう。ほかの端末と同じApple IDでサインインしておけば、以前購入したアプリやミュージックなどを、新しいiPad上でも引き継ぐことができる。

3 | 自分の誕生日と名前を入力する

Apple IDの新規作成では、まず自分の誕生日と名前を登録する。アカウントの本人確認時にも使われることがあるので、正確に入力しておこう。

4 | Apple IDで利用するメールアドレスを設定

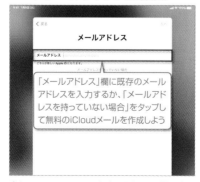

次に、Apple IDのアカウントとして利用するメールアドレスを設定する。メールアドレスを持っていない場合は、無料でiCloudメールを取得することが可能だ。

5 | メールアドレスとパスワードを入力

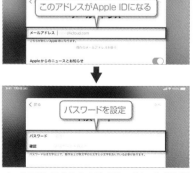

メールアドレスを入力する。iCloudメールを取得する場合は、「○○@icloud.com」のアカウント名部分を入力。あとはパスワードも入力しておく。

6 | 電話番号を設定する

電話番号を入力

本人確認のために、SMSまたは音声通話できる電話番号を入力する。スマートフォンか携帯電話がある場合は「SMS」にチェックを入れて、SMSでの認証にすると手軽だ。

7 | SMS認証の場合は確認コードを入力

SMSで届いた6桁の数字を入力する

SMS認証を選択した場合、入力した電話番号宛に確認コード（6桁の数字）がSMSで送信される。SMSを受信したらiPad側で確認コードを入力しよう。

8 | 利用規約に同意する

タップ

利用規約が表示されるので、確認して問題なければ「同意する」をタップしよう。これでApple IDの登録は完了だ。さらに残りの初期設定を進めていこう。

 解説

iPadや各種アプリを利用する上で必須となる「Apple ID」を理解する

「Apple ID」は、Appleが提供するさまざまなサービスの利用に必須となる重要なアカウントだ。たとえば、App StoreやiTunes Storeでの購入およびダウンロード、FaceTimeでの通話、iCloudの各種サービスなどを利用するには、すべてApple IDが必要となる。また、Apple IDはユーザー1人につき1つ取得すればよく、iPhoneやiPad、Macを複数所持している場合は、ほかの端末と同じApple IDを利用することが可能だ。また、過去に購入したアプリや曲などは、購入時と同一のApple IDでサインインした端末上であれば、無料で入手できる仕様となっている。なお、Apple IDを初期設定画面ではなく、あとで設定したい場合は、「パスワードをお忘れかApple IDをお持ちでない場合」→「あとで"設定"でセットアップ」をタップすればいい。

● **Apple IDが必要な主要サービス**

App Store／iTunes Store
コンテンツのダウンロード、購入、自動アップデートで必須となる。

FaceTime／iMessage
FaceTimeやiMessageでのやりとりは、Apple IDによる認証が必須となる。

iCloud
iCloudで提供される同期サービスや紛失時の「探す」、各種バックアップなどにApple IDが必要だ。

パソコン版のiTunes
パソコンのiTunesでも、コンテンツの購入やバックアップなどを利用する上でApple IDが必要となる。

位置情報やApple Pay、iCloudキーチェーンの設定

1 | 位置情報サービスをオンにする

タップ

位置情報サービスは、マップなどのアプリで使われるほか、「探す」で紛失したiPadの位置を特定するのに必要な機能だ。「位置情報サービスをオンにする」をタップして有効にしておこう。

2 | Apple Payで使うカードの登録をスキップ

「あとで"設定"でセットアップ」をタップして登録をスキップする

Appleの決済サービス「Apple Pay」の設定になるが、ここでは設定をスキップする。実際に利用する時に「設定」→「ウォレットとApple Pay」で登録すればよい。

3 | iCloudキーチェーンを設定する

タップ

WebサイトやアプリでのパスワードをiPhoneやiPad、Mac間で共有できる「iCloudキーチェーン」が設定できる。「続ける」をタップしておこう。

 解説

保存したログインIDやクレジットカード情報をワンタップで呼び出せる「iCloudキーチェーン」

「iCloudキーチェーン」は、一度ログインしたWebサイトやアプリのIDとパスワード、登録したクレジットカード、接続したWi-Fiネットワークなどの情報を保存しておき、次回からはワンタップで呼び出して、自動入力ですばやくログインすることができる機能だ。非常に便利なのでぜひ有効にしておこう。iCloudキーチェーンに保存されているIDやパスワードは、「設定」→「パスワード」で確認できる（P097で詳しく解説）。この画面では、漏洩の可能性があるパスワードや使いまわしているパスワードがないかもチェックできる。

共有

iCloudキーチェーンに保存されたIDやパスワードは、同じApple IDでサインインした、iPhoneやMacなどとも共有して利用できる。

Siriやスクリーンタイムの設定と操作のヒント

1 | Siriの設定を済ませる

Siriの設定で「続ける」をタップするとSiriが有効になる。指示に従って自分の声を登録し、「Hey Siri」の呼びかけでSiriが起動するようにしよう。

2 | スクリーンタイムを有効にする

スクリーンタイムは、画面を見ている時間についての詳しいレポートを表示してくれる機能。「続ける」をタップして有効にしておこう。

3 | 外観モードを選択する

外観モードを、画面の明るい「ライト」か、黒を基調にした「ダーク」から選択し、「続ける」をタップ。あとから、夜間だけ自動的に「ダーク」に切り替わるよう設定することもできる。

4 | すべての初期設定が終了

その他、操作のヒントなどを確認したら設定終了。「さあ、はじめよう!」をタップすれば、ホーム画面が表示される。

スキップした設定をあとで設定する

初期設定画面では、いくつかの設定をスキップすることができる。初期設定が終了した後で、これらの内容を設定したい場合は「設定」アプリから設定しよう。なお、重要な未設定項目が残っている場合は、「設定」アプリ上で通知が表示されるようになっている。「設定」アプリの「iPadの設定を完了する」をタップすれば、何が設定されていないのかがすぐにわかる。

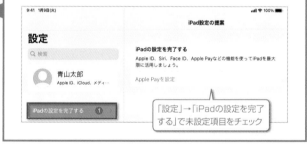

「設定」→「iPadの設定を完了する」で未設定項目をチェック

解説 初期設定後に最低限確認しておきたい設定項目

ここでは、初期設定が完了した後に、追加で設定しておきたい項目をピックアップしておいた。自分に必要そうな項目は「設定」から変更しておくといいだろう。

❶ 最新のiPadOSにアップデートしておく

まずは「設定」→「一般」→「ソフトウェア・アップデート」を確認しておこう。最新のiPadOSが存在する場合は、すぐにアップデートしておくのがオススメだ。旧バージョンで見つかった不具合などが修正される。

❷ Face (Touch) IDに関する詳細設定を行う

iTunesやApp Storeの購入時にFace IDやTouch IDを使いたい場合は、「設定」→「Face(Touch) IDとパスコード」の「iTunes StoreとApp Store」をオンにする。

❸ iCloudの各種機能で使わないものをオフにする

iCloudの機能で使わないものがあれば、「設定」→「アカウント名」→「iCloud」を表示してオフにしておこう。ただし、「iCloudバックアップ」はオンのままにしておくこと。iCloudの各種機能についてはP034を参照。

❹ 「iPhoneから通話」の設定を行っておく

iPadとiPhoneで同じApple IDを使うと、iPhoneの電話着信時にiPadでも着信音が鳴ってしまう。これを防ぐには、iPhone側で「設定」→「電話」→「ほかのデバイスでの通話」を開き、iPadの通話許可をオフにすればよい。

❺ FaceTime着信用の連絡先を設定する

iPhoneやiPad、Macを別途所持している場合は、「設定」→「FaceTime」を表示し、「FACETIME着信用の連絡先情報」と「発信者番号」を設定しておこう。それぞれ別の連絡先を設定しておくことで、着信と発信を個別に行うことができる。

❻ iPadからもSMSやMMSを送信できるようにする

iPadのメッセージアプリはSMSやMMSに対応していないので、Androidスマートフォンとやり取りできない。しかしiPhoneがあれば「SMS/MMS転送」機能をオンにすることでiPhone経由でSMSやMMSの送受信が可能になる。詳しくはP062で解説する。

「設定」アプリで設定を行う

iPadを購入したショップで最低限の初期設定が済んでいる場合、初回起動時に初期設定画面が表示されない。ロック画面が表示され、そのままiPadが使えるはずだ。とはいえ、Wi-Fi接続設定やApple IDなどの細かい設定がまだ済んでいないので、「設定」アプリから各種設定を行っておこう。

設定は「設定」アプリから

iPadの設定は、すべて「設定」アプリで行う。ホーム画面にある「設定」をタップすれば、設定画面が表示される。

キーボード／Wi-Fi／位置情報サービス／Face(Touch) IDの設定

1 キーボードの設定

> キーボードを追加する場合は、「新しいキーボードを追加」をタップ

キーボードを設定したい場合は、「一般」→「キーボード」→「キーボード」を表示する。ここから、キーボードの追加や削除が可能だ。

2 Wi-Fiの設定

> 接続したいWi-Fiのネットワーク名をタップし、接続パスワードを入力する

Wi-Fi に接続する場合は、「Wi-Fi」設定から接続したいネットワーク名をタップする。接続パスワードを入力して接続を完了させよう。

3 位置情報サービスの設定

> タップ

位置情報サービスの設定は、「プライバシー」→「位置情報サービス」から。アプリごとに位置情報を使うかどうかも切り替えることができる。

4 Face(Touch) IDとパスコードの設定

> 顔や指紋は、複数登録して精度を上げることもできる

「Face(Touch) IDとパスコード」で、顔や指紋を登録して、ロック解除や各ストアでの購入に利用する設定を行える。パスコードも設定しておこう。

Apple IDとiCloudの設定

1 Apple IDでサインインする

> Apple IDのアカウント情報を入力してiCloudにサインイン

Apple IDにサインインする場合は、左メニューの最上部にある「iPadにサインイン」をタップ。メールアドレスとパスワードでサインインしよう。

2 Apple IDの設定を開く

> タップしてApple IDやiCloudの設定画面を表示

サインインを済ませると、左メニュー最上部のユーザー名をタップして、Apple IDやiCloud(P034で解説)の設定を確認できるようになる。

Apple Payの設定

1 Apple Payでカードを追加する

> 「ウォレットとApple Pay」→「カードを追加」をタップする

Apple Payにカードを登録したい場合は、「ウォレットとApple Pay」→「カードを追加」→「クレジットカードなど」をタップしていこう。

2 カードを撮影して登録する

> タップしてカードをスキャン

「続ける」をタップし、カメラの枠内にクレジットカードを収めよう。その後、必要な認証作業を行えばApple Payでカードが使えるようになる。

解説 設定画面でApple IDを新規作成するには?

Apple IDをまだ所持していない人は、「設定」→「iPadにサインイン」→「Apple IDをお持ちでないか忘れた場合」から新規作成しよう。

> Apple IDを新規作成

解説 必要ならFaceTimeの設定もしておこう

iPhoneやiPad、Macを別途使っている人は、「設定」→「FaceTime」を表示し、「FACETIME着信用の連絡先情報」と「発信者番号」で、使いたい連絡先にチェックしておこう。

> 使いたい連絡先を有効に

iPadの初期設定を始めよう

iPadの気になる疑問Q&A

iPadを使いはじめる前に、必要なものは何か、ない場合はどうなるか、まずは気になる疑問を解消しておこう。

Q1 パソコンやiTunesは必須?

A なくても問題ないが一部操作に必要

バックアップや音楽CD取り込みに使う

パソコンがあれば、「iTunes」（Macでは標準の「Finder」）を使ってiPadを管理できるが、なくてもiPadは問題なく利用できる。ただし、音楽CDを取り込んでiPadに転送するには（P079で詳しく解説）、iTunes（Windows）やミュージックアプリ（Mac）が必要。また、容量不足でiCloudにバックアップを作成できないときにパソコンでバックアップを作成して復元できる（P111で解説）ほか、「リカバリーモード」でiPadを強制的に初期化する際にも、パソコンとの接続が必要だ。

> パソコンがあれば、iCloudバックアップが使えない場合でもバックアップの作成と復元ができるなど、トラブルに対処しやすい

バックアップ

自動的にバックアップ
○ iCloud
iPad内のもっとも重要なデータをiCloudにバックアップします。
● このコンピュータ
iPadの完全なバックアップはこのコンピュータに保存されます。
☑ ローカルバックアップを暗号化
これにより、アカウントパスワード、ヘルスケアデータ、およびHomeKitデータのバックアップを作成できるようになります。
パスワードを変更...

Q2 クレジットカードは必須?

A なくてもApp Storeなどを利用できる

ギフトカードやキャリア決済でもOK

Apple IDで支払情報を「なし」に設定しておけば、クレジットカードを登録しなくても、App Storeなどから無料アプリをインストールできる。クレジットカードなしで有料アプリを購入したい場合は、コンビニなどでApple Gift Cardを購入し、App Storeアプリの「Today」画面などを下までスクロール。「コードを使う」をタップしてApple Gift Cardのコードをカメラで読み取り、金額をチャージすればよい。クレジットカードを登録済みの場合でも、Apple Gift Cardの残高から優先して支払いが行われる。毎月の通信料と合算して支払う、キャリア決済も利用可能。

> Apple Gift Cardは、コンビニなどで購入できる。「バリアブル」カードで購入すると、1,000円から50万円の間で好きな金額を指定できる

Q3 iPadで格安SIMは使える?

A SIMロックを解除すれば使える

今後はSIMロック解除も不要で使える

ドコモやau、ソフトバンクで購入したセルラーモデルのiPadには、他社のSIMカードが使えないように「SIMロック」という制限がかけられていた。しかし2015年5月以降に発売された機種からは、「SIMロック解除」を行えば、iPadに格安SIMなどを挿入して利用できるようになっている。SIMロック解除はWeb上で行えば無料だが、店頭で解除すると手数料がかかるので注意しよう。なお、2021年10月1日以降に発売された機種からは、SIMロックの仕組み自体が廃止されたので、SIMロックを解除しなくてもそのまま格安SIMを利用できる。

> SIMロックの解除条件と手続きは、各キャリアのサポートページで確認しよう。なお、Apple Storeで購入したiPadには、SIMロックはかかっていない

Q4 Wi-Fiは必須?

A ほぼ必須と言ってよい

セルラーモデルのiPadでもWi-Fiを用意しよう

まず、iPadがWi-Fiモデルなら、ネット接続するためにWi-Fi環境は必須である。セルラーモデルならモバイルデータ通信が使え、特に最新の5G対応機種なら、iPadOSのアップデートもモバイル通信で行える。ただし、数GBのアップデートや動画配信などを利用すると、あっという間に通信量を消費してしまうので、きる限りWi-Fiを用意しておきたい。最新規格の「11ax」や「11ac」に対応したWi-Fiルータがおすすめだ。

> ルータは11ax対応の製品がもっとも高速だ。このバッファロー「WSR-1800AX4S」は、11ax対応で約7,000円と手頃な価格。一つ前の11ac対応ルータでも十分高速で価格も安い

Q5 iPhoneで買ったアプリは使える?

A ユニバーサルアプリなら使える

iPhone専用アプリはインストール不可

iPhoneおよびiPadの両方に対応したユニバーサルアプリなら、iPadでも利用可能だ。iPhoneアプリ購入時と同じApple IDでサインインしていれば、購入済みの有料アプリでも無料でiPadへインストールできる。購入済みアプリは、アプリのインストールページの価格表示が雲の形のクラウドボタンに変わっているはずだ。なお、iPhone専用アプリの場合は、iPadのApp Storeで検索しても表示されない。

> 購入済みのiPhone／iPad両対応アプリなら、購入ボタンがクラウドボタンに変わり、無料でインストールできる

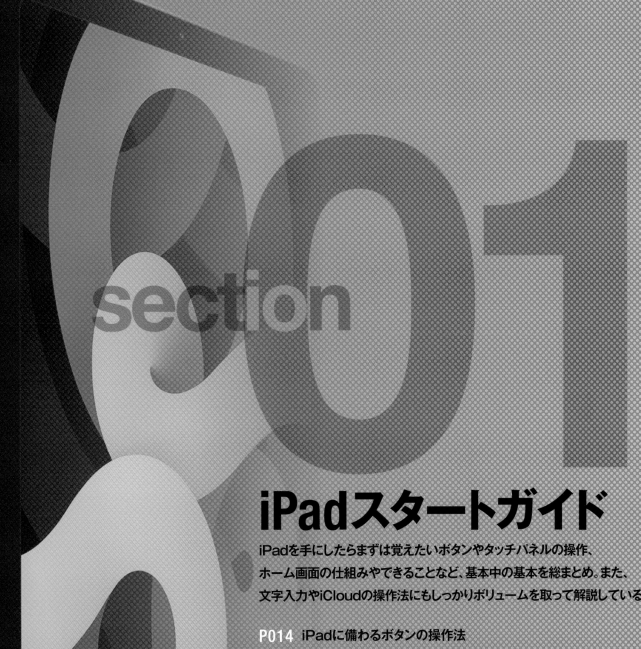

section

iPadスタートガイド

iPadを手にしたらまずは覚えたいボタンやタッチパネルの操作、
ホーム画面の仕組みやできることなど、基本中の基本を総まとめ。また、
文字入力やiCloudの操作法にもしっかりボリュームを取って解説している。

iPad本体に備わる
ボタンの操作法

**全てのiPadは、本体上部に「電源／スリープボタン」、右側面や上部に「音量ボタン」を搭載している。
また、現行ラインナップの中では、無印のiPadのみ画面下に「ホームボタン」が備わっている。**

ボタンの役割と使い方

　すべてのiPadには「電源／スリープボタン」と「音量ボタン」が搭載されており、iPadや一世代前のiPad miniなどの機種には「ホームボタン」も備わっている。画面を点灯した後の操作は、ほぼすべてタッチパネルに指で触れて行うが、それ以前の基本操作はこれらのボタンを使用する。電源のオン／オフとスリープ／スリープ解除は、iPadを使い始めるための基本中の基本なのでしっかり覚えておこう。また、音量ボタンは、設定によって使い方が異なる点を把握しておきたい。ここでは、起動後に表示されるロック画面の操作を含めて、ボタンの操作法を解説する。

オールスクリーン（ホームボタンのない）iPadに備わるボタン

現行のiPad ProやiPad Air、最新のiPad mini（第6世代）など、ホームボタン非搭載のオールスクリーンモデル

電源／スリープボタン（Touch IDセンサー）

電源のオン／オフやスリープ／スリープ解除を行うボタン。詳しくはP016で解説している。Siriの起動やスクリーンショット撮影時にも利用する。最新のiPad Air（第4世代）やiPad mini（第6世代）の電源／スリープボタンには、指紋認証を行えるTouch IDセンサーが内蔵されており、ロック解除などに利用できる。

音量ボタン

iPadで再生される音楽や動画の音量を調整するボタン。設定により、通知音や着信音の音量もコントロールできるようになる（P017で解説）。なお、最新のiPad mini（第6世代）は、本体上部に音量ボタンが配置されている。

マルチタッチディスプレイ

iPadのほとんどの操作は、画面をタッチして行う。タッチ操作の詳細は、P018〜019で解説している。

USB-Cコネクタ

本体下部のコネクタ。付属のケーブルを接続し、充電やデータ転送を行う。また、USB-C対応の各種周辺機器を接続して利用可能。ホームボタン搭載iPadのLightningコネクタとは形状が異なるので注意しよう。

一番はじめに
表示される画面

ロック画面を理解する

iPadの電源をオンにした際や、スリープで消灯状態の画面を点灯した際にまず表示される「ロック画面」。パスコードやFace ID（顔認証）、Touch ID（指紋認証）でロックを設定すれば、ロックを解除しない限りこの画面より先に進んでiPadを操作することはできない。なお、ロック画面ではなく初期設定画面が表示される場合は、指示に従って設定を進めよう（P006で解説）。各種ロックの設定方法はP033で解説。

iPad Air（第4世代）やiPad mini（第6世代）は、上部の電源／スリープボタンを押してTouch IDやパスコードでロックを解除

画面下部から上へスワイプし、Face ID（顔認証）やパスコードでロックを解除

**iPadの
ロック画面**

ホームボタンのあるiPadでは、ホームボタンを押してTouch ID（指紋認証）やパスコードでロックを解除

ホームボタン搭載iPadに備わるボタン

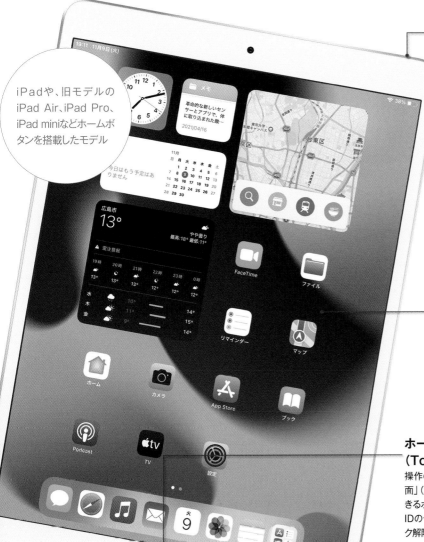

iPadや、旧モデルのiPad Air、iPad Pro、iPad miniなどホームボタンを搭載したモデル

電源／スリープボタン

電源のオン／オフやスリープ／スリープ解除を行うボタン。詳しくはP016で解説している。スクリーンショット撮影時にも利用する。

音量ボタン

iPadで再生される音楽や動画の音量を調整するボタン。設定により、通知音や着信音の音量もコントロールできるようになる（P017で解説）。

マルチタッチディスプレイ

iPadのほとんどの操作は、画面をタッチして行う。タッチ操作の詳細は、P018～019で解説している。

ホームボタン
（Touch IDセンサー）

操作のスタート地点となる「ホーム画面」（P020で解説）をいつでも表示できるボタン。指紋認証を行えるTouch IDのセンサーが内蔵されており、ロック解除などに利用できる。

Lightningコネクタ

本体下部のコネクタ。付属のLightning - USBケーブルを接続し、充電やデータ転送を行う。オールスクリーンiPadのUSB-Cコネクタとは形状が異なるので注意しよう。

iPadスタートガイド

ホームボタンのないオールスクリーンiPadのスリープおよび電源操作

iPadをスリープもしくは
スリープ解除する

電源/スリープボタンを押す

画面が表示されている状態で電源/スリープボタンを押すと、画面が消灯しスリープ状態となる。逆に画面消灯時に押すとスリープが解除されロック画面が表示される。これでタッチパネル操作を行えるようになる。なお、ホームボタンのないiPadでは、画面をタップしてスリープ解除を行うこともできる（右の記事で解説）。

電源をオンもしくは
オフにする

電源オンは電源/スリープボタンを長押し。電源オフは電源/スリープボタンと音量ボタンを長押し

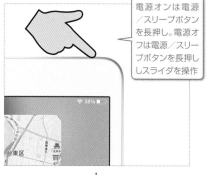
↓

スライドで電源オフ

消灯時に電源/スリープボタンを押しても画面が表示されない時は、電源がオフになっている。電源/スリープボタンを2～3秒長押ししてアップルのロゴが表示されたら電源がオンになる。電源をオフにする場合は、電源/スリープボタンとどちらかの音量ボタンを同時に長押しし、表示される「スライドで電源オフ」を右へスワイプすればよい。

画面をタップして
スリープを解除する

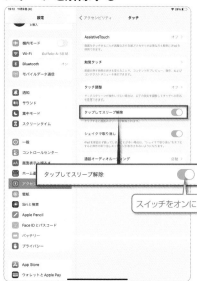

タップしてスリープ解除

スイッチをオンに

「設定」の「アクセシビリティ」→「タッチ」→「タップしてスリープ解除」のスイッチをオンにしておけば、（電源オンの状態で）消灯中の画面をタップするだけでスリープを解除できる。なお、ホームボタン搭載モデルでは、この機能は利用できない。

 ホームボタン搭載iPadのスリープおよび電源操作

iPadをスリープもしくは
スリープ解除する

電源/スリープボタンでスリープおよびスリープ解除

Touch IDを設定していれば、ホームボタンを押してスリープ解除すると同時にロック解除も行える

画面表示時に電源/スリープボタンを押すと、画面が消灯してスリープ状態になる。スリープ解除は電源/スリープボタンを押してもよいが、ホームボタンを押せばそのままロック解除も行えてスムーズだ。

電源をオンもしくは
オフにする

電源オンは電源/スリープボタンを長押し。電源オフは電源/スリープボタンを長押ししスライダを操作

↓
スライドで電源オフ

消灯時に電源/スリープボタンを押しても画面が表示されない時は、電源がオフになっている。電源/スリープボタンを2～3秒長押ししてアップルマークが表示されたら電源がオンになる。電源をオフにする場合は、電源/スリープボタンを長押しし、表示される「スライドで電源オフ」を右へスワイプすればよい。

Touch IDセンサーに
指を当ててロック解除

iPad Airや
iPad miniでもチェック

指を当てて開く

スイッチをオンにする

「設定」の「アクセシビリティ」→「ホームボタン」（第4世代のiPad Airや第6世代のiPad miniでは「トップボタン」）で「指を当てて開く」のスイッチをオンにしておけば、ロック画面でホームボタンを押し込まなくても、指を当てるだけでロック解除が可能になる。

音量ボタンとその他の操作方法（全モデル共通）

音量ボタンで音楽や動画の音量を調整

音量が画面上部に表示。最後まで下げると消音となる

本体右側面や上部の音量ボタンで、再生中の音楽や動画の音声ボリュームを調整できる。標準状態では、音量ボタンでメールやFace Timeの通知音、着信音のボリュームを調整することはできない。

通知音や着信音の音量を調整する

スライダーを左右にドラッグ

標準ではメールなどの通知音や着信音の音量を音量ボタンで調整することはできない。「設定」→「サウンド」にあるスライダーを左右にドラッグして調整しよう。

通知音や着信音の音量をボタンで操作する

スイッチをオンにする

音量ボタンで通知音や着信音を調整できるようになった

「設定」→「サウンド」にある「ボタンで変更」のスイッチをオンにすると、音量ボタンで通知音や着信音の音量を調整できるようになる。ただし、音楽などの再生中にボタンを押すと、メディアのボリューム調整が優先される。

消音モードを利用する

タップして消音モードを有効に

通知音や着信音を消音したい場合は、コントロールセンター（P024で解説）で消音モードを有効にしよう。ボタンで音量を操作できるかどうかに関わらず即座に消音になる。なお、音楽やアラームは消音されないので注意しよう。

ボタンの長押しでSiriを起動する

電源／スリープボタンまたはホームボタンの長押しでSiriを起動

Siriは画面の邪魔にならないようこのように起動する

音声でさまざまな操作を行える「Siri」。ホームボタンのないiPadでは電源／スリープボタンを長押し、ホームボタン搭載iPadでは、ホームボタンを長押しすることで起動できる（P048で詳しく解説）。

画面の黄色味が気になる場合は

「設定」→「画面表示と明るさ」で「True Tone」のスイッチをオフに

一部のiPadに搭載されるディスプレイの「True Tone」機能。周辺の環境光を感知し、画面の色や彩度を自動調整する機能だ。この機能を有効にすると、特に室内だと画面が黄色っぽい色になりがちだ。気になるなら機能をオフにしておこう。

iPadスタートガイド

 使いこなしヒント

スリープと電源オフの違いを理解する

電源をオフにすると通信もオフになりバックグラウンドの動作もなくなる。バッテリーの消費はほとんどなくなるが、メールやメッセージの受信、FaceTimeの着信をはじめとする全ての機能が無効となる。一方スリープは、画面を消灯しただけの状態で、

メールやメッセージの受信をはじめとする通信機能や音楽の再生など、多くのアプリのバックグラウンドでの動作は継続される。電源オフとは異なり、すぐに操作を再開できるので、特別な理由がない限り、通常はiPadを使わない時もスリープにしておこう。

ほとんどの操作は画面タッチで行う

タッチパネルの操作方法を しっかり覚えよう

前ページで解説した電源や音量、ホームボタン以外のすべての操作は、タッチパネルに指で触れて行う。
単純に画面にタッチするだけではなく、画面をなぞったり2本指を使用することで、さまざまな操作を行うことが可能だ。

iPadを操るための7つの必須操作法

アプリの起動や文字の入力、設定のオン／オフなど、iPadのほとんどの操作はタッチパネルで行うことになる。最もよく使う、画面を指先で1度タッチする操作を「タップ」と呼び、タッチした状態で画面をなぞる「スワイプ」、画面をタッチした2本指を開いたり閉じたりす

る「ピンチイン／ピンチアウト」など、ここで紹介する7つの基本動作を覚えておけば、どんなアプリでも操作することができる。iPhoneやスマートフォンを使っているユーザーなら、まったく同じ動作でタッチパネルを操作できるので、迷うことはないだろう。また、本書では、ここで紹介する「タップ」や「スワイプ」といった操作名を使って手順を解説しているので、しっかり覚えておこう。

タッチ操作 1
タップ
トンッと軽くタッチ

ホーム画面でアイコンを軽く1回タッチするとアプリが起動する

キーボードをタップして文字を入力

画面を1本指で軽くタッチする操作。ホーム画面でアプリを起動したり、画面上のボタンやメニューの選択、キーボードでの文字入力などを行う基本中の基本となる操作。

タッチ操作 2
ロングタップ
1〜2秒タッチし続ける

ホーム画面でアプリを1秒程度タッチし続けると、アプリの特定機能を素早く利用できるメニューが表示される

Safariでリンクや画像をロングタップすると、リンク先のプレビューや操作メニューが表示される。ただタップした場合とは動作が異なる

画面を一定時間（1〜2秒間）タッチしたままにする操作。ホーム画面でアプリをロングタップしてメニューを表示させたり、メールなどの文章をロングタップして、文字を選択することができる。

タッチ操作 3
ダブルタップ
軽く2回タッチする

地図や写真、SafariでWebサイトを表示し、画面を軽く2回連続でタッチしよう

ダブルタップで画面が拡大表示される。アプリによっては、再度ダブルタップして縮小することも可能

タップを2回連続して行う操作。「トントンッ」と素早く行わないと、通常の「タップ」と認識されることがある。主に画面の拡大 や縮小表示に利用する以外は、あまり使わない操作だ。

タッチ操作 ······ 4

スワイプ
画面を指でなぞる

> マップアプリでは、画面をスワイプした方向へ表示エリアが移動する

画面のさまざまな方向へ指を「すべらせる」操作。ホーム画面を左右にスワイプしてページを切り替えたり、マップの表示エリアを移動する際など、さまざまなアプリで頻繁に使用する操作法だ。

タッチ操作 ······ 5

フリック
タッチしてはじく

> Safariなど縦にスクロールするアプリで画面を上へはじくと、強さに合わせた勢いで画面が下へスクロールする

画面をタッチしてそのまま「はじく」操作で。「スワイプ」とは異なり、はじく強さの加減よって、勢いを付けた画面操作が可能。ゲームの操作でも頻繁に使用する操作法だ。

タッチ操作 ······ 6

ドラッグ
押さえたまま動かす

> アプリをロングタッチしたまま指を動かすと、配置を変更できる

画面上のアイコンなどを押さえたまま、指を離さず動かす操作。例えばホーム画面でアプリをロングタップし、そのまま動かせば、位置を変更できる。文章を選択する際にも使用する。

タッチ操作 ······ 7

ピンチアウト/ピンチイン
2本指を広げる/狭める

> 写真やマップ、Safariなどで、指を広げると拡大表示される。狭めると表示が縮小される

画面を2本の指（基本的には人差し指と親指）でタッチし、指の間を広げたり（ピンチアウト）狭めたり（ピンチイン）する操作法。主に画面表示を拡大／縮小する際に使用する。

まれに使用する特殊な操作 ······ 1

2本指で回転
画面をひねるように操作

> マップを2本指でタッチし、ひねって回転させると、自由な角度へ画面を回転できる

マップなどの画面を2本指でタッチし、そのままひねって回転させると、表示を好きな角度に回転させることができる。ノートやスケッチアプリでも使える場合があるので、試してみよう。

まれに使用する特殊な操作 ······ 2

2本指でスワイプ
2本指で画面をなぞる

> マップを2本指でタッチし上下へ動かすと、視点が動き、建物が3D表示になる

マップを2本指でタッチし、そのまま上へ動かしてみよう。地図の表示角度が変わり、建物が立体的に見えるはずだ。このように、アプリによっては2本指のスワイプが使える場合がある。

使いこなしヒント

3本指以上を使った操作法も

iPadでは、1〜2本の指を使った操作法に加え、文字入力時に3本指を使ってコピーやペーストを行える（詳しくはP044で解説）他、4〜5本指での操作も行える。4〜5本指でアプリ画面をピンチインするか上へスワイプすると、ホーム画面に戻ることができる。

ピンチインやスワイプを途中で止めると、Appスイッチャー（P023で解説）を表示可能だ。また、4〜5本指で右にスワイプすると、ひとつ前に使ったアプリに切り替えられる。さらに右へスワイプして、過去に使ったアプリを順に表示できる。

iPadスタートガイド

ホーム画面の仕組みと さまざまな操作方法

iPadの電源を入れ、画面ロックを解除するとまず表示されるのが「ホーム画面」だ。ホーム画面には、インストールされている アプリが並んでいる。すべての操作のスタート地点となるホーム画面の仕組みと操作法をマスターしよう。

ホーム画面の構成とアプリの起動方法

ひとつのホーム画面には、横4列×縦6段で最大24個（後述の Dockを除く）のアプリやフォルダを配置できる。また、ホーム画面は、左右にスワイプすることで複数のページを切り替えて利用する。アプリが増えてきた際は、よく使うアプリを1ページ目に配置しておくと使いやすい。ページを切り替えても画面下に固定して表示される「Dock（ドック）」には、最大17のアプリやフォルダを配置可能だ。標準では、メールやメッセージ、Safariなど5つのアプリがセットされている。画面上部の現在時刻やバッテリー残量が表示されているエリアを「ステータスバー」と呼び、Wi-FiやBluetoothなど現在有効な機能やモバイルデータ通信の電波状況がアイコンで表示される。

ホーム画面の基本構成

ステータスバーで さまざまな情報を確認

現在時刻などが表示されている、画面上部の細長いエリアを「ステータスバー」と呼ぶ。電波状況やバッテリー残量などの基本情報に加え、位置情報やタイマーなどの利用状況がアイコンとして表示される。

画面下部から上へスワイプ してホーム画面に戻る

ホームボタンのないiPadでは、画面下部から上へスワイプすることで、いつでもどんなアプリを起動していてもホーム画面に戻ることができる。また、ホーム画面のページを切り替えている際も、この操作で1ページ目に戻れる。

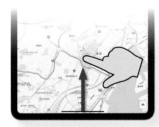

最も良く使うアプリを Dockに配置

画面下にある「Dock（ドック）」は、ホーム画面をスワイプしてページを切り替えても固定されて表示される。また、アプリ使用中に呼び出すことも可能だ。フォルダも配置できる。

iPadOS 15では、アプリに付随するパネル型ツール「ウィジェット」もホーム画面に配置できるようになった

Dockの一番右にはAppライブラリを呼び出せるアイコンも配置されている。「設定」→「ホーム画面とDock」→「AppライブラリをDockに表示」をオフにして非表示にもできる

複数ページを スワイプで切り替え

ホーム画面は、複数のページを作成してスワイプで切り替えて利用できる。よく使うアプリを1ページ目に配置するなど工夫しよう。

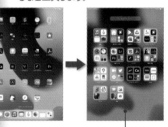

新機能のAppライブラリ

ホーム画面を左へスワイプいていくと、一番右に「Appライブラリ」が表示される。iPadにインストールされている全アプリを自動的にジャンル分けして管理する機能だ。

ホームボタンで ホーム画面に戻る

ホームボタン搭載のiPadでは、ホームボタンを押すことでいつでもホーム画面に戻ることができる。また、画面下部から上へスワイプする方法も利用できる。

ホーム画面の各種操作法

1 | ホーム画面のアプリをタップして起動する

タップして起動する

ホーム画面にあるアプリをタップすると、即座に起動して利用できる。あらかじめインストールされているApple製の標準アプリから使ってみよう。Webサイトを見る場合は、Dockにある「Safari」をタップ。

2 | アプリが起動し機能を利用できる

まずはすぐに使えるSafariやマップから試してみよう。iPadにはじめからインストールされている標準アプリの操作法は、P051以降で詳しく解説している

アプリが起動してさまざまな機能を利用できる。アプリの終了は、画面下部から上へスワイプする。ホームボタン搭載モデルの場合は、ホームボタンを押してもよい。

3 | 終了させたアプリを再度起動する

もう一度Safariを起動すると、終了前に開いていたサイトが表示される

多くのアプリは、終了させた後、再度タップして起動すると、終了した時点の画面から操作を再開できる。見ていたWebサイトを再度開いたり、書きかけのメモの続きを入力するといったことがすぐに行える。

4 | アプリ使用中にDockを利用する

画面下部から上へスワイプしてDockを表示。少しスワイプして指を止めるのがコツだ。Dockを下へスワイプするか、Dock以外のエリアをタップすれば非表示になる

↓

Dockが表示された

ホーム画面に常時表示されるDockは、画面下部から上へスワイプすることでアプリ使用中でも呼び出せる。スワイプしすぎるとホーム画面に戻ったり、Appスイッチャー（P023で解説）が表示されるので要注意。

5 | 直前に使用したアプリがDockに表示される

直前に使用したアプリが最大3つ表示される。「設定」→「ホーム画面とDock」の「おすすめApp／最近使用したAppをDockに表示」をオフにして非表示にできる

Dockの右エリアには、「オススメのApp／最近使用したApp」として、直前に使用したアプリが最大3つ表示され、再度使用しやすくなっている。「設定」で非表示にすることも可能。

6 | ステータスアイコンの意味を覚えよう

Wi-Fi接続中	📶
モバイル通信の電波状況	.ıl
機内モードがオン	✈
位置情報サービス利用中	➤
画面の向きのロックがオン	🔒
アラーム設定中	⏰
おやすみモードを設定中	🌙
インターネット共有利用中	⊘
Bluetoothスピーカーやヘッドフォンを接続中	🎧

ステータスバーに表示される、主なアイコンの意味を覚えておこう

横画面でも利用できる

使いこなしヒント

iPadにはセンサーが内蔵されており、本体を横向きにすると画面も自動で横向きに回転する。ホーム画面はもちろん、ほとんどのアプリも横向き表示に対応している。なお、画面を回転させるには、コントロールセンター（P024で解説）で「画面の向きのロック」がオフになっている必要がある。

この状態なら画面が回転する

7 | ホーム画面を 編集する

アプリの隙間など、何もない箇所をロングタップし、アプリが振動しはじめたら編集可能だ

適当なアプリをロングタップし、表示される「ホーム画面を編集」を選んでもよい

アプリの並べ替えや削除を行うには、ホーム画面の何もない箇所をロングタップして編集モードにする。アプリをロングタップして、メニューの「ホーム画面を編集」をタップしてもよい。

8 | アプリの配置を 並べ替える

ドラッグで移動。画面の端へ持って行くと、隣のページに移動させることもできる。右にページがない場合は、画面の右端へ持って行き、新たなページを作成できる。最後に右上の「完了」をタップして編集を終了しよう

ホーム画面が編集できる状態になったら、動かしたいアプリをドラッグして好きな位置に移動させよう。Dockへドラッグして追加することも可能だ。最も頻繁に使うアプリをDockにセットしておこう。

9 | 複数のアプリを まとめて移動させる

ドラッグして少し移動させる

まとめて移動させたいアプリをタップ(複数でも可)するとひとつに集まってくる

ホーム画面を編集可能な状態にし、移動させたいアプリを少しドラッグする。指を離さないまま別の指で他のアプリをタップするとアプリがひとつに集まり、まとめて移動させることが可能だ。

10 | フォルダを作成して アプリを整理する

フォルダを開いた状態でフォルダ名をロングタップし、好きな名称に変更しよう

ドラッグしてアプリを重ねる

アプリの移動時にドラッグして他のアプリへ重ねると、フォルダが作成され複数のアプリを格納できる。ジャンル別のフォルダを作るなど、わかりやすくホーム画面を整理しよう。

11 | Appライブラリで すべてのアプリを確認

アプリは自動的に分類される。小さいアイコンが4つ並んだ部分をタップすると、そのカテゴリの全アプリを一覧できる

ホーム画面を一番右までスワイプして「Appライブラリ」を表示。インストール中の全アプリをカテゴリ別に確認できる。ホーム画面のアプリは削除して、Appライブラリだけに残すことも可能だ。

12 | Appライブラリで アプリを検索する

検索欄をタップした段階で、全アプリがアルファベット順、続けて五十音順に一覧表示されるので、そこからアプリを探すこともできる

Appライブラリ上部の検索欄をタップすると、キーワード検索で目的のアプリを探し出せる。アプリ名はもちろん、「カメラ」や「ノート」といった機能やジャンル名でも検索可能だ。

使いこなしヒント

ホーム画面のレイアウトを元の状態に戻す

アプリの配置を最初の標準状態に戻したい時は、「設定」→「一般」→「転送またはiPadをリセット」→「リセット」→「ホーム画面のレイアウトをリセット」をタップしよう。ホーム画面が初期状態にリセットされる。

13 | アプリをアンインストール（削除）する方法

ロングタップして「Appを削除」をタップ

↓

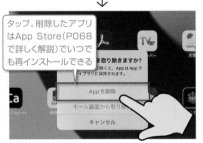

タップ。削除したアプリはApp Store（P068で詳しく解説）でいつでも再インストールできる

アンインストール（削除）したいアプリをロングタップし、表示されたメニューで「Appを削除」をタップ。続けて「削除」をタップすればアンインストールが完了する。

14 | アプリをホーム画面から取り除く

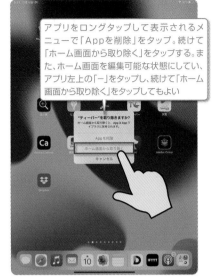

アプリをロングタップして表示されるメニューで「Appを削除」をタップ。続けて「ホーム画面から取り除く」をタップする。また、ホーム画面を編集可能な状態にしたい、アプリ左上の「ー」をタップし、続けて「ホーム画面から取り除く」をタップしてもよい

アプリをiPadからアンインストールしないで、ホーム画面から取り除くこともできる。取り除かれたアプリの本体はAppライブラリに残っているので、いつでもホーム画面に再配置できる。

15 | Appライブラリからアプリを追加する

ロングタップして「ホーム画面に追加」をタップ。検索結果でアプリをロングタップして「ホーム画面に追加」を選んだり、検索結果のアプリ名をドラッグしてもよい

Appライブラリでアプリをロングタップし、「ホーム画面に追加」を選べば、Appライブラリだけにあるアプリをホーム画面に追加できる。Appライブラリからアプリをドラッグしてもよい。

16 | ページを並べ替えたり非表示にすることが可能

ホーム画面の編集モードで画面下部のページ切り替え部分をタップ

↓

ページ編集画面で非表示にしたいページのチェックを外して非表示に。チェックを外して、さらに左上の「ー」をタップすればページを削除できる。ドラッグで並べ替えも可能

アプリをどんどんインストールすると、ホーム画面のページも増えていきがちだ。アプリを取り除いていくのが面倒なら、ページ全体を非表示にしたり削除したりしよう。

17 | Appスイッチャーでアプリを切り替える

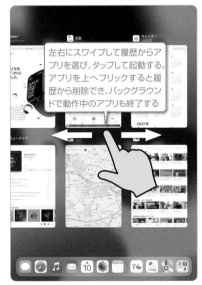

左右にスワイプして履歴からアプリを選び、タップして起動する。アプリを上へフリックすると履歴から削除でき、バックグラウンドで動作中のアプリも終了する

画面下から上方向へゆっくりスワイプすると「Appスイッチャー」が表示される。最近使ったアプリの履歴が一覧表示され、タップして素早く再起動することが可能。ホームボタンを2回連続で素早く押すことでも表示できる。

18 | バックグラウンドで動作するアプリもある

停止ボタンを押さずにホーム画面に戻ったり、他のアプリに切り替えると、そのまま再生は継続される

「ミュージック」など一部のアプリは、ホーム画面に戻っても、終了することなくそのまま動作し続ける。停止ボタンをタップするかAppスイッチャーで終了させなければ、音楽を再生し続けるので注意しよう。

使いこなしヒント | 複数のアプリを削除したい時は

複数のアプリを削除したい場合は、アプリをロングタップして表示されるメニューで「ホーム画面を編集」をタップ。編集可能な状態になったら、削除したいアプリアイコン左上の「×」をタップしていこう。

iPadスタートガイド

画面端から引き出すパネル型ツール

ウィジェット、通知センター コントロールセンターの使用方法

アプリに付随する各種ツールを表示できる「ウィジェット」、アプリからの通知を一覧表示できる「通知センター」、
Wi-Fiの接続／切断や各種機能のオン／オフを素早く行える「コントロールセンター」。3つのパネル型ツールを解説。

各ツールの表示方法

1

左端から右へスワイプ
ウィジェット（今日の表示）

ホーム画面の1ページ目で画面左端から右方向へスワイプすると、「ウィジェット」を組み合わせて配置できる「今日の表示」画面を引き出すことができる。ウィジェットは、アプリに付随するパネル状のツールで、アプリの情報を表示したり機能の一部を呼び出すことができる。「今日の表示」の外側をタップするとホーム画面に戻れる。

ホーム画面に常時表示させる必要がないウィジェットは、「今日の表示」画面に配置しておこう

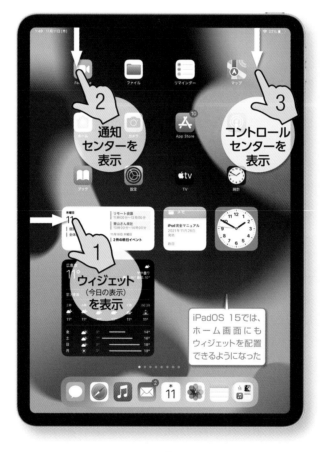

iPadOS 15では、ホーム画面にもウィジェットを配置できるようになった

2

画面左上から下へスワイプ
通知センター

ホーム画面やアプリ使用中に画面左上から下へスワイプすると、各種アプリの通知が日にちごとにリスト表示される。各通知はタップやスワイプで操作可能だ。画面下部から上へスワイプすると、元の画面に戻る。

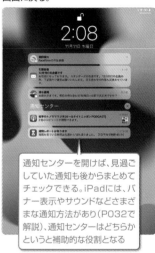

通知センターを開けば、見過ごしていた通知も後からまとめてチェックできる。iPadには、バナー表示やサウンドなどさまざまな通知方法があり（P032で解説）、通知センターはどちらかというと補助的な役割となる

ウィジェットは
ホーム画面にも配置できる

ウィジェットは、「今日の表示」だけではなくホーム画面の好きなところにも配置できる。アプリ1つ分、2つ分、4つ分のサイズが用意されているので、アプリとの組み合わせで上手く配置しよう。なお、横画面にしても最適なレイアウトで表示される。

今日の予定や天気予報のほか、リマインダーを付箋のように表示するなど、情報を一目で確認できる。また、アプリの特定機能を素早く利用できるウィジェットもある

3

画面右上から下へスワイプ
コントロールセンター

ホーム画面やアプリ使用中に、画面右上から下へスワイプして表示。閉じるには、下部から上へスワイプする。表示項目は右の画面と若干異なる場合があるが、自由に追加、削除可能だ（P027で解説）。

❶左上から時計回りに機内モード、
　モバイルデータ通信、Bluetooth、Wi-Fi
❷ミュージックコントロール
❸左から画面の向きのロック、
　画面ミラーリング
❹集中モード
❺左から画面の明るさ調節、音量調節
❻左上から右へ消音、フラッシュライト、
　メモ、カメラ、コードスキャナー

ウィジェットの設定、操作方法 その❶

1 | ホーム画面にウィジェットを配置する

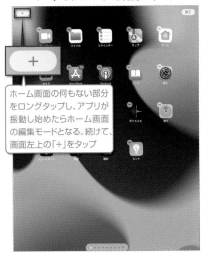

ホーム画面の何もない部分をロングタップし、アプリが振動し始めたらホーム画面の編集モードとなる。続けて、画面左上の「＋」をタップ

ホーム画面の何もない部分をロングタップし、続けて画面左上の「＋」をタップ。ウィジェット選択画面の左欄でアプリを選択しよう。なお、ここに表示されないアプリはウィジェットを搭載していないか、iPadOS 15に対応していない。

2 | アプリに備わるウィジェットを選択する

ウィジェットを選んで「ウィジェットを追加」をタップ。ホーム画面に配置されるので、ドラッグして好きな位置に移動させよう

ウィジェット選択画面の左欄でアプリを選択し、続けてアプリのサイズを選択する。サイズによって表示内容や機能が異なる場合もある。選んだら画面下の「ウィジェットを追加」をタップしよう。ウィジェットをドラッグしてホーム画面に配置してもよい。

3 | 「今日の表示」にウィジェットを配置する

一番下にある「編集」をタップ

↓

タップしてウィジェットを選択する

「今日の表示」を表示し、スワイプして一番下にある「編集」をタップ。画面左上の「＋」をタップするとウィジェット選択画面が表示。ウィジェットを選んで画面下の「ウィジェットを追加」をタップするか、ホーム画面にドラッグして配置しよう。

4 | ウィジェットの位置を変更する

ドラッグして移動させる

ホーム画面の何もない部分をロングタップ（「今日の表示」では、一番下の「編集」をタップ）して編集モードにし、ウィジェットをドラッグして移動させよう。

5 | ウィジェットの機能を設定する

ロングタップして「ウィジェットを編集」をタップ

↓

天気アプリのウィジェットで天気を表示する地点を選択

ウィジェットの中には、配置後に設定が必要なものや表示項目を変更できるものがある。ウィジェットをロングタップして、表示されるメニューで「ウィジェットを編集」をタップしよう。

6 | 配置したウィジェットを削除する

タップ

↓

タップして削除

ホーム画面の何もない部分をロングタップ（「今日の表示」では、一番下の「編集」をタップ）して編集モードにし、ウィジェットの左上にある「−」をタップ。続けて「削除」をタップすれば、そのウィジェットが削除される。

使いこなしヒント

写真アプリのウィジェットについて

写真アプリのウィジェットでは、さまざまなサイズで写真をスライドショーのように表示できる。ただし、表示されるのは写真アプリの「For You」で自動的に選択された写真のみ。好みの写真を表示させたい場合は、App Storeから「フォトウィジェット」などのアプリを入手しよう。

「For You」で選択された写真が一定時間で切り替わりながら表示される

iPadスタートガイド

025

ウィジェットの設定、操作方法 その❷

1 | 同じサイズのウィジェットをスタックする

同じサイズのウィジェットをドラッグして重ねるとスタックされる

ひとつのウィジェットの中に複数のウィジェットを格納し、スワイプで切り替えて利用できる「スマートスタック」機能。同じサイズのウィジェットを重ねることで簡単に利用できる。

2 | スマートスタックを利用する

上下にスワイプしてウィジェットを切り替える

作成したスマートスタックを上下にスワイプすると、ウィジェットを切り替えることができる。特に最大サイズのウィジェットは場所を取るので、スタックを活用してホーム画面を整理しよう。

3 | スマートスタック内のウィジェットを編集する

スマートスタック内のウィジェットをドラッグして並べ替えたり、「ー」をタップしてウィジェットを削除できる

スマートスタックをロングタップして、表示されるメニューで「スタックを編集」をタップすれば、スマートスタック内のウィジェットを並べ替えたり削除することができる。

4 | スマートスタックの便利な機能を利用する

スマートスタックをロングタップして「スタックを編集」をタップ。「スマートローテーション」と「ウィジェットの提案」をタップしてオン／オフを設定しよう

スマートスタックの「スマートローテーション」機能は、状況に応じて最適なウィジェットが自動で表示される機能。「ウィジェットの提案」は、ユーザーが必要としていそうなウィジェットを自動追加してくれる機能。

5 | ウィジェットを検索する

アプリ名を入力してウィジェットを検索しよう

ウィジェット選択画面の上部にある検索欄では、ウィジェットのキーワード検索を行える。アプリ名を入力して検索しよう。なお、各ウィジェットの名前では検索できないようだ。

6 | iPadOS 15非対応のウィジェットを利用する

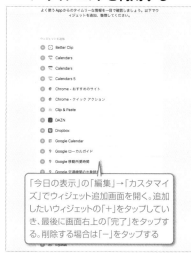

「今日の表示」の「編集」→「カスタマイズ」でウィジェット追加画面を開く。追加したいウィジェットの「＋」をタップしていき、最後に画面右上の「完了」をタップする。削除する場合は「ー」をタップする

iPadOS 15に対応していない旧仕様のウィジェットは、ホーム画面には配置できず、「今日の表示」の一番下にまとめて表示される。「今日の表示」の「編集」をタップし、続けて一番下の「カスタマイズ」をタップしてウィジェットを選択しよう。

使いこなしヒント

同じウィジェットをスタックしてみよう

スマートスタックは、ただ同じサイズのウィジェットをスタックするだけではなく、別々の地点を設定した天気ウィジェットを複数スタックしたり、異なるアカウントのメールボックスをスタックするなど、多彩な活用法が考えられる

例えば天気アプリの同サイズのウィジェットを複数スタックし、それぞれに別の地点を設定しておくといった使い方ができる

通知センターとコントロールセンターの操作方法

1 | 通知センターに通知を表示させる

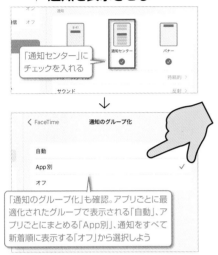

「通知センター」にチェックを入れる

「通知のグループ化」も確認。アプリごとに最適化されたグループで表示される「自動」、アプリごとにまとめる「App別」、通知をすべて新着順に表示する「オフ」から選択しよう

通知センターに通知を表示するかどうかは、アプリごとに設定できる。「設定」→「通知」でアプリを選び、「通知」欄の「通知センター」のチェックを入れれば、通知が表示されるようになる。また、通知のグループ化も設定しておこう。

2 | 通知センターで通知に対応する

タップまたはロングタップで通知に対応する。対応した通知は消去される

通知センターの通知をタップすれば、アプリが起動し通知された内容が表示される。また、通知をロングタップすれば、通知センターの画面上で詳細を確認できる。FaceTimeのなどは、通知センターからかけ直すこともできる。

3 | 通知センターの通知を操作する

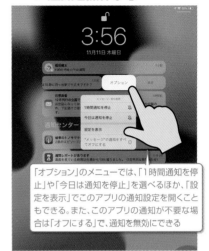

「オプション」のメニューでは、「1時間通知を停止」や「今日は通知を停止」を選べるほか、「設定を表示」でこのアプリの通知設定を開くこともできる。また、このアプリの通知が不要な場合は「オフにする」で、通知を無効にできる

通知センターの通知を左にスワイプしきるか、途中で止めて「消去」をタップすれば、通知を消去できる。また、途中で止めて「オプション」をタップすれば、通知の停止などの操作を行うことができる。

4 | コントロールセンターをロングタップする

画面の明るさ調整スライダをロングタップしたところ。他の項目でも試してみよう

コントロールセンターに備わる各項目の中には、ロングタップしてさらなる機能を利用できるものもある。例えば、画面の明るさ調整スライダをロングタップすると、ダークモードやNight Shift、True Toneをオン／オフできるボタンが表示される。

5 | コントロールセンターをカスタマイズする

各項目の「＋」をタップして追加、「ー」をタップして削除する。iOS15では「聴覚」が追加され、バックグラウンドサウンドを再生することができるようになった

「設定」→「コントロールセンター」で、コントロールセンターに新たな機能を追加することができる。また、フラッシュライトやメモ、カメラなどのボタンは削除することも可能だ。

6 | コントロールセンターをアプリ使用中は無効にする

App使用中のアクセス

「App使用中のアクセス」をオフにすれば、アプリ使用中に画面右上から下へスワイプしても、コントロールセンターは表示されない。ホーム画面からはコントロールセンターを表示できる

アプリによっては、不意の操作で誤ってコントロールセンターを表示してしまうことがある。これを防止したい場合は、「設定」→「コントロールセンター」→「App使用中のアクセス」をオフにしておこう。

使いこなしヒント 各ツールのロック画面での利用方法

今日の表示、通知センター、コントロールセンターは、ロック画面でも利用可能だ。ホーム画面同様に画面端からスワイプすることで表示できる。ただし、通知センターで過去の通知を一覧するには、ホーム画面の操作とは異なり、画面を上へスワイプする必要がある。

iPadスタートガイド

2つのアプリを同時に利用できる マルチタスク機能の使い方

iPhoneにはない、iPadならではのマルチタスク機能。画面を2分割して2つのアプリを同時に利用できる「Split View」と、画面上の小型ウインドウでもうひとつアプリを起動する「Slide Over」の2種類を利用できる。

作業効率がアップする便利機能

　画面を分割して2つのアプリを同時起動する「Split View」と、画面上に小型のウインドウを重ねて表示して別のアプリを利用できる「Slide Over」は、画面の大きいiPadならではのマルチタスク機能だ。SafariでWebサイトを参照しながら書類を作成したり、2つの資料を見比べてチェックするといった作業で活躍する。対応していれば同じアプリを2画面で開くことも可能。仕事や勉強を効率化するさまざまな活用法が考えられる。また、iPadのアプリは、パソコンと同じように複数のウインドウを扱える。その仕組みも理解しておこう。なお、iPadOS 15では、マルチタスクを始めるための新しい操作法が採用されている。

iPadで使える2つのマルチタスク機能

画面を分割して 2つのアプリを利用 　　Split View

Webや資料を見ながらノートに書き込んだり、2つの資料や商品ページを見比べる時に最適。また、何らかの情報を確認しながらメッセージをやり取りする時にも使いたい

画面を左右に2分割して2つのアプリを同時に利用できる「Split View」。縦画面でも利用可能だが、画面を上下に分割することはできない。同じ画面サイズで2つのアプリを表示できる仕組みを活かした使い方を考えたい。

アプリの上に 小型ウインドを表示 　　Slide Over

メールで受け取った情報を参照しつつ、全画面表示のマップで地図を確認するなど、フルスクリーンで作業しつつ、時々参照したいアプリを表示する際におすすめ

フルスクリーン表示のアプリの上に、小型のSlide Overウインドウでもうひとつのアプリを表示できるマルチタスク機能。Slide Overウインドウをフリックで画面外へ出したり、画面内へ戻したりできる特徴を活かした組み合わせを考えよう。

マルチタスキングメニューの表示方法

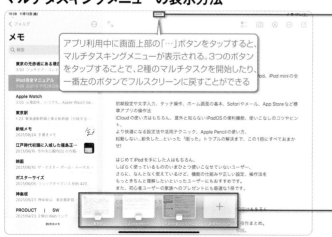

アプリ利用中に画面上部の「…」ボタンをタップすると、マルチタスキングメニューが表示される。3つのボタンをタップすることで、2種のマルチタスクを開始したり、一番左のボタンでフルスクリーンに戻すことができる

フルスクリーン
現在のウインドウをフルスクリーンにする。すでにフルスクリーンであれば変化しない。

Split View
Split Viewを開始するボタン。タップした後、同時に開く2つ目のアプリを選択する。

Slide Over
タップしてもうひとつのアプリを選択すると、元のアプリがSlide Overウインドウとなる。

シェルフ機能を利用する
アプリで複数のウインドウを開いている場合、マルチタスキングメニュー表示時やアプリ起動時にこのようなシェルフが表示され、ウインドウを一覧できる。パソコンのように、ひとつのアプリで複数のウインドウを扱える仕組みをあらかじめ把握しておこう。

Split Viewを開始する方法

1 | ひとつ目のアプリを起動して Split Viewを開始する

マルチタスキングメニューで中央のボタンをタップ。続けて2つ目のアプリをタップする

ひとつ目のアプリを起動し、画面上部の「…」をタップ。マルチタスキングメニューで中央のボタンをタップする。ウインドウが画面端に隠れるので、ホーム画面やAppライブラリから2つ目のアプリを選択して起動しよう。

2 | 画面が分割され2つの アプリを同時に利用できる

メモアプリと写真アプリをSplit Viewで開いて見た。中央の仕切りをドラッグして比率を変更できる

画面が2分割され、2つのアプリを同時に利用可能になった。中央の仕切りをドラッグして画面の比率を変更することもできる。Split Viewを終了するには、仕切りを左右端までドラッグするか、マルチタスキングメニューでフルスクリーンに戻そう。

Slide Overを開始する方法

1 | ひとつ目のアプリを起動して Slide Overを開始する

マルチタスキングメニューで右のボタンをタップ。続けて2つ目のアプリをタップする

ひとつ目のアプリを起動し、画面上部の「…」をタップ。マルチタスキングメニューで右のボタンをタップする。ウインドウが画面端に隠れるので、ホーム画面やAppライブラリから2つ目のアプリを選択して起動しよう。

2 | ひとつ目のアプリが 小型ウインドウになる

Slide Overウインドウは、上部の「…」部分をドラッグして移動できる。また、「…」を画面左右端にフリックすると、ウインドウが一時的に隠れ、端から中央へフリックして再表示できる

するとひとつ目のアプリがSlide Overウインドウ（小型ウインドウ）となり、その下に2つ目のアプリがフルスクリーンで表示される。Slide Overウインドウのマルチタスキングメニューを表示し、左のフルスクリーンを選べばSlide Overが終了する。

使いこなしヒント

マルチタスクの活用例

文章や写真をドラッグする

ドラッグして写真をメモに貼り付け

マルチタスクの画面間では、テキストや写真、ファイルなどをドラッグ&ドロップでコピーできる。

同じアプリを2画面で開く

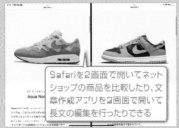

Safariを2画面で開いてネットショップの商品を比較したり、文章作成アプリを2画面で開いて長文の編集を行ったりできる

対応アプリであれば、2画面で同じアプリを開くこともできる。2つ目のアプリ選択時にひとつ目と同じアプリをタップしよう。

作業しながらYouTubeを再生

マルチタスクの画面でYouTubeを再生

ピクチャインピクチャ（P050で解説）に対応していないYouTubeなども、他のアプリで作業しながら動画を再生できる。

Split Viewの上にSlide Overウインドウを表示させる

1 | Slide Over状態で Split Viewを実行する

> フルスクリーン側のマルチタスキングメニューで中央のボタンをタップ

Split ViewとSlide Overを同時に使うことも可能だ。まずはSlide Overを開始し、フルスクリーン側でマルチタスキングメニューを表示する。中央のボタンをタップし、ホーム画面やAppライブラリでアプリを選択しよう。

2 | 3つのアプリを 同時に利用できる

> 画面右端から左方向へフリックしてSlide Overウインドウを表示。3つのアプリを利用できるようになる

Split Viewが開始されると同時にSlide Overウインドウが画面外に隠れるので、画面右端から左へフリックして再表示させる。これで3つのウインドウで別々のアプリを表示させて利用可能となる。

従来の操作方法でマルチタスクを開始する

従来の操作方法で Split Viewを開始する

> アプリ使用中にDockから別のアプリを画面左右端にドラッグして、このような表示になったら指を離す

iPadOS 14までのiPadで使われていた操作法も利用可能だ。アプリ使用中の画面でDockを表示。同時に開きたいアプリを少しロングタップした後、画面の左右端へドラッグする。ロングタップしすぎるとメニューが表示されるので要注意。

従来の操作方法で Slide Overを開始する

> Dockからアプリをドラッグして指を離す。なお、Split Viewの上にSlide Overを表示させる場合は、この従来の操作法の方がスムーズだ

アプリ使用中にDockを表示。Slide Overウインドウで開きたいアプリを少しロングタップして画面内へドラッグする。上記のような表示になったら指を離そう。そのアプリがSlide Overウインドウとして表示される。

使いこなしヒント

従来のマルチタスク操作法の応用技

DockのAppライブラリを活用しよう

> DockからAppライブラリを表示。Appライブラリからアプリをドラッグしよう

従来のマルチタスク操作では、Dockからしかアプリを呼び出せないが、DockのAppライブラリを使えば全アプリを呼び出し可能だ。

リンクやファイルを別ウインドウで開く

> リンクを画面端にドラッグしてSplit Viewで開く

Safariのリンク先やファイルアプリ内のファイルをドラッグしてSplit ViewやSlide Overで表示することもできる

マルチタスクに関するその他の機能や操作法

1 | センターウインドウ を利用する

メモやメールをひとつ選んでロングタップし「新規ウインドウで開く」をタップ。マルチタスクの状態でも利用できる

新規ウインドウがセンターウインドウとして画面中央に表示された。「閉じる」や「完了」でウインドウを閉じることができる。

2 | Split Viewから Slide Overに切り替え

Split Viewの画面でどちらかのマルチタスキングボタンをタップし、右のボタンを押すと、そのアプリがSlide Overウインドウになる。

3 | Slide Overから Split Viewに切り替え

Slide OverをSplit Viewに切り替えるには、Slide Overウインドウの「…」をタップして、中央のボタンを押せば良い。

4 | Split Viewの アプリを変更する

Split Viewでアプリを変更するには、どちらかの「…」を下にスワイプし、ホーム画面やAppライブラリで別のアプリを選択する。

5 | Slide Overウインドウ のアプリを切り替える

Slide Overのアプリを過去に開いたものに切り替えたい場合は、ウインドウ下部を左右にスワイプすればよい。

6 | 新しいシェルフの 仕組みを理解する

マルチタスク機能を使うと、アプリごとに複数のウインドウが開いた状態になる。これを管理できるのが新しい「シェルフ」機能だ。

7 | シェルフでウインドウ を切り替える

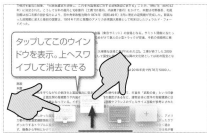

シェルフのウインドウ画像をタップして、そのウインドウを表示する。また、上へスワイプすればそのウインドウを消去できる。

8 | 新しいウインドウで アプリを利用する

マルチタスキングメニュー表示時のシェルフにある「新規ウインドウ」をタップすれば、新しいウインドウでアプリを利用できる。

9 | Appスイッチャーで ウインドウを管理する

Appスイッチャー（P023で解説）は、アプリの切り替えだけではなく開いているウインドウやマルチタスクの管理も行える。

10 | Appスイッチャーで ウインドウ一覧を表示

複数のウインドウが開いているアプリは、Appスイッチャーのアプリ名右に上記のようなマークが表示されている。

11 | Appスイッチャーで Split Viewを作成

Appスイッチャー上で、ウインドウを別のウインドウに重ねることでSplit Viewのウインドウを作成できる。

iPadスタートガイド

さままなアプリの新着情報を知らせてくれる便利な機能

さまざまな通知の方法を 理解し適切に設定する

メールやメッセージの受信をはじめ、カレンダーやSNSなどさまざまなアプリの新着情報を知らせてくれる通知機能。通知 の方法も音や画面表示など多岐にわたるので、あらかじめ適切に設定しておこう。

まずは不要な通知をオフにしよう

通知機能はなくてはならない便利な機能だが、きちんと設定して おかないと頻繁に鳴るサウンドや不要なバナー表示にわずらわさ れることも多い。そこで、あらかじめ通知設定をしっかり見直すことが 肝心だ。まずは、通知そのものが不要なアプリを洗い出し、設定を無 効にしよう。さらに、バナーやサウンド、バッジなどの通知方法を重要 度によって限定したり、人に見られたくないものはロック画面に表示 させないなど細かく設定しておきたい。通知があることがわかれば よいだけならバッジだけ有効にしたり、無効にはせず通知センターだ けに表示するなど、柔軟に設定していこう。なお、すべての通知設定 は、「設定」→「通知」でアプリを選んで行う。

各通知項目を設定していく

[通知設定を確認する]

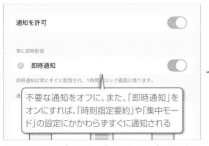

不要な通知をオフに。また、「即時通知」を オンにすれば、「時刻指定要約」や「集中モー ド」の設定にかかわらずすぐに通知される

通知の設定は、「設定」→「通知」でアプリを選んで 変更する。まずは、不要な通知を無効にすることから はじめよう。「設定」→「通知」でアプリを選び、「通知 を許可」をオフにすれば、通知そのものを無効にでき る。判断できないものはオンにしておき、届いた通知 を確認した後に設定を見直そう。また、メールアプリ は、登録しているアドレスごとに通知を設定可能だ。

💡 使 い こ な し ヒ ン ト

指定した時間に 通知をまとめて受け取る

「設定」→「通知」にある「時刻指定要 約」を有効にすると、選択したアプリの通 知が指定時刻にまとめて配信されるよう になる。1日に何回通知するかも設定可 能だ。なお、「即時通知」をオンにしたア プリは、時刻指定要約で選択していても すぐに配信される。

1 | 通知の表示場所や スタイルを選択

「設定」→「通知」でアプリを選び、「通知」欄を確認。 まず、「ロック画面」や「通知センター」に表示するか どうかを指定する。また、重要な通知は「バナー」表 示を有効にしておこう。特に重要なものは、「バナー スタイル」を「持続的」にしておけば、なんらかの操 作を行わない限りバナーが表示され続けるので、通 知を見落とすこともなくなる。

2 | サウンドでの 通知を設定する

重要度が低いものはオフに

すぐに気付いて対処する必要がないなら、「サウン ド」はオフにしておきたい。メールやメッセージの場 合、サウンド設定画面で「なし」を選択すればよい。 また、メールやメッセージ、FaceTimeの着信／通知 音の種類も選択できる。

3 | アプリアイコンに表示 されるバッジの設定

未読メールが12 件あるという通知

アプリアイコンの右上に赤い丸で表示される通知を 「バッジ」と呼ぶ。メールの未読件数などが数字で表 示される便利な機能だ。確認の優先度が低くて数字 が増えていく一方のアプリは、設定で「バッジ」のス イッチをオフにしておこう。

4 | 通知に内容の プレビューを表示

メールやメッセージの通知で、バナーや通知セン ター、ロック画面に内容の一部を表示したくない場 合は、「プレビューを表示」を「しない」か「ロックさ れていないときのみ」に変更しよう。

iPadを無断で使われないように設定しておく

ロック画面のセキュリティを しっかり設定しよう

不正アクセスなどに気をつける前に、まずiPad自体を勝手に使われないように対策しておくことが重要だ。**画面をロックするパスコードとFace IDやTouch IDは、最初に必ず設定しておこう。**

顔認証や指紋認証で画面をロック

iPadは、パスコードでロックしておけば他の人に勝手に使われることはない。万が一に備えて必ず設定しておこう。使う度にパスコード入力を行うのは面倒だが、現在販売中のiPadには、顔認証を行える「Face ID」と指紋認証を行える「Touch ID」のどちらかが搭載されている。これらを使えば、毎回のパスワード入力を省略して、画面に顔を向けたりホームボタンや電源／スリープボタン（トップボタン）に指を当てるだけでロックを解除できるようになる。あらかじめ設定しておけば、セキュリティを犠牲にせずスムーズに操作を行えるようになるのだ。なお、マスクや手袋を装着している時は、パスコードによるロック解除も利用可能だ。

iPadのセキュリティを設定する

パスコードを設定する

1 「パスコードをオンにする」をタップ

セキュリティを未設定の場合は、「設定」→「Face（Touch）IDとパスコード」をタップし、「パスコードをオンにする」をタップする。

2 6桁の数字でパスコードを設定

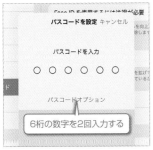

6桁の数字でパスコードを設定すれば、画面のロック解除にパスコード入力が求められる。Face IDやTouch IDで認証を失敗した時も、パスコードでロック解除可能だ。

Face IDを設定する

1 「Face IDをセットアップ」をタップ

画面のロックを顔認証で解除できるようにするには、「設定」→「Face IDとパスコード」→「Face IDをセットアップ」をタップする。

2 枠内で顔を動かしてスキャンする

「開始」をタップし、画面の指示に従って顔を枠内に入れたまま、ゆっくり頭を回して2回スキャンすれば、自分の顔が登録される。

Touch IDを設定する

1 「指紋を追加」をタップする

画面のロックを指紋認証で解除できるようにするには、「設定」→「Touch IDとパスコード」→「指紋を追加」をタップ。

2 センサーに指を置いて指紋を登録

画面の指示に従い、ホームボタンもしくは電源／スリープボタン（トップボタン）に指を当てる、離すという動作を繰り返すと、iPadに指紋が登録される。

iPadの大切なデータを保存しておける
iCloudでさまざまなデータ を同期&バックアップする

「iCloud(アイクラウド)」とは、Appleが提供する無料のクラウドサービスだ。
iPad内のデータが自動でバックアップされ、いざという時に元通り復元できるので、機能を有効にしておこう。

iPadのデータを守る重要なサービス

　Apple IDを作成すると、Appleのクラウドサービス「iCloud」を、無料で5GBまで利用できる。iCloudの役割は大きく2つ。標準アプリなどの「同期」と、「iCloudバックアップ」の作成だ。設定でApple IDを開いて「iCloud」をタップすると、「写真」「iCloudメール」などのアプリが一覧表示される。これらのスイッチをオンにしておくと、アプリのデータがiCloudと同期する。つまり、iPadで撮影した写真や送受信したメール

が、自動的にiCloudにも保存される、実質的なバックアップとして機能するのだ。iCloudに同期された写真やメールは、同じApple IDでサインインした他のiPhoneやMacからも利用できる。また、本体の設定や同期できないその他のアプリのデータは、「iCloudバックアップ」機能によって定期的にバックアップできる。iPadを初期化したり機種変更した時は、作成したiCloudバックアップから復元すれば本体の設定やその他のアプリが元に戻り、同じApple IDでサインインして同期を有効にするだけで標準アプリなどのデータも元通りになる。

iCloudの役割を理解しよう

iCloudの設定画面

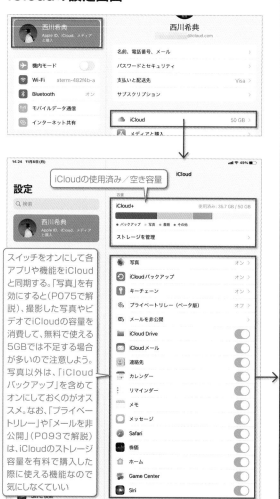

スイッチをオンにして各アプリや機能をiCloudと同期する。「写真」を有効にすると(P075で解説)、撮影した写真やビデオでiCloudの容量を消費して、無料で使える5GBでは不足する場合が多いので注意しよう。写真以外は、「iCloudバックアップ」を含めてオンにしておくのがオススメ。なお、「プライベートリレー」や「メールを非公開」(P093で解説)は、iCloudのストレージ容量を有料で購入した際に使える機能なので気にしなくていい

「設定」の一番上に表示されるユーザー名(Apple ID)をタップし、続けて「iCloud」をタップすると、iCloudの使用済み容量を確認したり、同期するアプリや機能をオン・オフできる。

iCloudで同期できるアプリや機能

 写真
iPadの写真やビデオをiCloud写真やマイフォトストリームで同期できる。

 Safari
ブックマークを同期したり、iPhoneやMacで開いているタブも同期できる。

 iCloudメール
iCloudメール(○○@icloud.com)の送受信メールを同期できる。

 株価
iPhoneやMacで追加した銘柄をiPadでも確認できる。

 連絡先
連絡先データを同期できる。削除した連絡先の復元も可能(P066参照)。

 ホーム
HomeKitに対応した感電などのアクセサリを操作、管理する。

 カレンダー
スケジュールを作成／同期し、他の端末からも常に最新の予定を確認できる。

 Game Center
対応ゲームアプリでスコアの記録、共有やオンライン対戦を行える。

 リマインダー
やるべきことや覚えておきたいタスクを作成し、他の端末と同期できる。

 Siri
Siriがデバイスやアプリの使用状況から学習したデータを同期する。

 メモ
テキストや手書きでメモを作成し、他の端末と同期して編集できる。

 キーチェーン
WebサービスのログインIDやクレジットカード情報などを共有できる。

 メッセージ
他の端末と、全く同じ状態の送受信画面を同期して利用できる。

 iCloud Drive
iCloud Driveと連携するアプリの書類を保存して同期する。。

「iCloudバックアップ」の役割

「iCloudバックアップ」は他の項目と少し性質が異なり、iCloudと同期するための機能ではない。本体の設定や、ホーム画面の構成、同期できないその他のアプリデータなどを、iCloudにバックアップするための機能なので、必ずオンにしておこう。バックアップは、iPadが電源とWi-Fi(5G対応のセルラーモデルはモバイル通信接続時でもOK)に接続され、画面がロックされている時に自動で作成される。またiCloudバックアップの対象にするアプリは、「iCloud」→「ストレージを管理」→「バックアップ」→「このiPad」で選択できる。

iCloudでデータを保存するための設定と復元手順

1 アプリの同期を オンにしておく

iCloudの容量が許す限りすべて同期しておいた方が安心。ただし「同期」はすべてのデバイスを常に最新の状態に保つ機能なので、例えば同期しているメモをiPadで削除すると、iCloudや同じApple IDを使ったiPhoneやMacからも、そのメモが削除されてしまう点に注意

P034で解説しているように、iCloudの設定画面で「写真」や「iCloudメール」などのスイッチをオンにしておけば同期が有効になる。iPadで撮影した写真や送受信したメールは自動的にiCloudに保存され、実質的なバックアップになる。

2 iCloudバックアップを 有効にする

オンを確認

iCloudバックアップは電源とWi-Fi（5G対応のセルラーモデルはモバイル通信接続時でもOK）に接続されロックされている時に自動で作成されるが、「今すぐバックアップを作成」をタップすると、手動ですぐにiCloudバックアップを作成できる

本体の設定やホーム画面の構成、またiCloudとの同期に対応していないその他のアプリのデータをバックアップするには、iCloudの設定画面にある「iCloudバックアップ」のスイッチをオンにしておく。

3 iCloudバックアップの 対象にするアプリを選択

iCloudの空き容量が足りずバックアップの作成エラーが表示されたら、この画面を確認してみよう。サイズが大きすぎるアプリや、iPadで撮影した写真やビデオをバックアップする「写真ライブラリ」（P075で解説）をオフにすると、iCloudバックアップのサイズを減らせる。なお、調子が悪いiPadを初期化したり機種変更する際は、「新しいiPadの準備」機能を使うことで、iCloudの空き容量が足りなくても、一時的にすべてのアプリやデータ、設定を含めたiCloudバックアップを作成できる（P111で解説）

iCloudの設定画面で「ストレージを管理」→「バックアップ」→「このiPad」をタップすると、iCloudバックアップに含むアプリを選択できる。オンしておけば、iCloudバックアップから復元した時にアプリ内のデータを復元できる。

4 バックアップから iPadを復元する

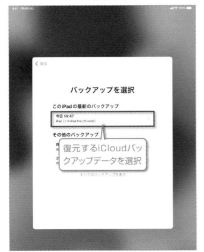

復元するiCloudバックアップデータを選択

iPadを初期化したり機種変更した際は、初期設定の「Appとデータ」画面で「iCloudバックアップから復元」をタップし、復元したい日時のiCloudバックアップを選択すると、その時点の状態にiPadを復元できる。

5 バックアップから 復元中の画面

ホーム画面のフォルダ構成なども元通りになる。アプリによっては、再ログインが必要な場合もある

iCloudバックアップから復元すると、このように、バックアップ時点のアプリが再インストールされていく。同期を有効にしていたSafariやメッセージなどのアプリも、自動的にiCloud上のデータと同期して最新の状態に復元される。

○ POINT

Webブラウザで iCloud.comにアクセスする

同期を有効にした標準アプリのデータは、パソコンのWebブラウザでiCloud.com（https://www.icloud.com/）にアクセスして確認することもできる。メールや連絡先、カレンダー、写真などの項目をタップすると、iPadとまったく同じ内容で表示されるはずだ。また連絡先の復元やカレンダーの復元など、iCloud.com上でのみ行える操作もある。

右端縦書き：iPad スタートガイド

○ POINT

iCloudの容量を 追加で購入する

iCloudを無料で使えるのは5GBまでだが、アプリの同期やiCloudバックアップの作成には十分足りる容量となっている。ただし、写真やビデオをよく撮影していてすべてiCloudで同期している場合や、同じApple IDで使っているデバイスが複数ありiCloudバックアップも複数保存されていると、5GBでは足りなくなってくる。どうしてもiCloudの容量が足りない時は、容量を追加で購入（月額130円から）しよう。iCloud容量を購入すると、自動的に「iCloud+」にアップグレードされ、「メールを非公開」（P093で解説）などいくつかの機能も使えるようになる。

「ストレージを管理」→「ストレージプランを変更」をタップ。50GB／月額130円、200GB／月額400円、2TB／月額1,300円のプランが用意されている

キーボードの使い方を覚えて 自由自在に文字を入力しよう

文字入力の 基本操作法

操作に慣れてしまえば iPadの文字入力は快適!

iPadでの文字入力は、画面下部に表示されるソフトウェアキーボードで行う。日本語入力用のキーボードとしては、五十音表で文字入力を行う「日本語-かな」と、パソコンのキーボードに近い「日本語-ローマ字」の2種類が用意されている。さらに「絵文字」キーボードや「英語」キーボードも用意されており、これらのキーボードを自由に切り替えて入力することが可能だ。なお、初期状態ではiPadの初期設定(P006参照)で選択したキーボードのみが利用できる。使いたいキーボードがあれば「設定」から追加しておこう(P037参照)。

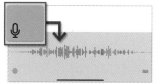

文字入力 01 キーボードの基本操作

標準キーボードの 種類を知っておこう

iPadに用意されている標準キーボードは、右でまとめている4種類。各キーボードは文字入力中に切り替えて使うことになる。基本的には「日本語-かな」か「日本語-ローマ字」のどちらか好きな方をメインのキーボードとして利用することが多い。なお、キーボードを利用せずに音声で文字入力することも可能だ。

iPadに搭載された4つの標準キーボード

● 日本語-かな

→P038へ

五十音表で日本語やアルファベットなどを入力できる。パソコンのキーボードに慣れていない人に向いている入力形式だ。

● 日本語-ローマ字

→P040へ

パソコンとほぼ同じキー配置のキーボードで日本語をローマ字入力できる。アルファベットや数字、記号も入力が可能となっている。

● 絵文字

→P042へ

iPadOSとiOS独自の絵文字を入力できる。さまざまな種類が用意されており、メッセージやメール、LINEなどのやりとりで利用可能だ。

● 英語（日本）

→P042へ

パソコンと同じキーボードでアルファベットや数字、記号を半角もしくは全角文字で入力できる。頻繁に英語を入力する人向けのキーボード。

キーボードを使わず音声で文字入力

キーボード上の音声入力ボタンをタップすると、音声による文字入力も可能だ。

キーボードの表示／非表示

1 | キーボードを 表示する

各種アプリ上で文字入力が可能な場所をタップすると、キーボードが画面下に表示される。

2 | キーボードを 非表示にする

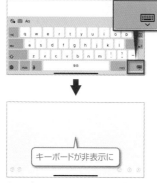

キーボードの画面右下にある「キーボード非表示キー」をタップすれば、いつでもキーボードを隠すことが可能だ。

キーボードの種類を切り替える

1 | 地球儀キーなどで 切り替えできる

地球儀キーをタップするとキーボードの種類が順番に切り替わる。「abc」「あいう」などのキーをタップして切り替えてもよい。

2 | ロングタップでも 切り替え可能

地球儀キーをロングタップすると、キーボードが一覧表示される。キーボード名をタップすれば、そのキーボードに直接切り替え可能だ。

利用するキーボードを設定しておこう

iPadでは、標準で用意された4つのキーボードをすべて使う必要はない。設定で不要なキーボードを削除し、必要なキーボードだけを追加しておくのがオススメだ。利用できるキーボード数が少なければ、より少ないタップ数でキーボードを切り替えでき、文字入力も快適になる。なお、キーボードは一度削除してもあとでまた追加し直せるので覚えておこう。

キーボードの追加と削除／キーボードの並べ替え

1 「新しいキーボードを追加」をタップする

新しいキーボードを追加するには、「設定」→「一般」→「キーボード」→「キーボード」を開き「新しいキーボードを追加」をタップ。

2 キーボード名をタップして追加する

追加したいキーボードをタップ

使いたいキーボード名をタップしていけば追加できる。日本語環境向けのキーボードは、「推奨キーボード」として上部にまとまっている。

3 不要なキーボードを削除する

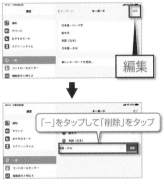

編集

「−」をタップして「削除」をタップ

使わないキーボードは、キーボード一覧画面で「編集」をタップすれば削除できる。一度削除しても、また追加し直すことが可能だ。

4 キーボードの表示順を変更する

キーボード名右端の三本線ボタンをドラッグすれば、表示順を変更できる

地球儀キーでキーボードを切り替える際の表示順も、キーボード一覧画面の「編集」から変更できる。自分で使いやすい順に並べよう。

他社製キーボードも導入できる

iPadOSでは、標準キーボードだけでなく、他社製キーボードアプリも利用することができる。まずはApp Storeで「Gboad」や「ATOK」、「mazec」といった他社製キーボードアプリを入手してインストールしよう。あとは各アプリの説明に従って「設定」からキーボードを追加する。

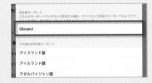
❶ キーボードを追加
App Storeから他社製キーボードを導入後、設定でキーボードを追加。

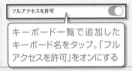
❷ フルアクセスを許可
キーボードの全機能を使うにはフルアクセスも許可しておく。

❸ キーボードを切り替える
導入後は、キーボード上の地球儀キーで切り替えが可能だ。

日本語入力の基本的な手順を覚えよう

キーボードで文字を入力するには、キーボードの上の各種キーをタップしていけばいい。日本語入力時は、まずひらがなが一時的に入力され、キーボード上部に漢字などの予測変換候補が表示される。変換候補をタップすれば変換が確定され、実際に文字が入力されるという仕組みだ。詳しい操作方法は次ページから解説するが、まずはここで基本の手順を覚えておこう。

日本語入力と変換の基本操作

1 入力したい場所をタップ

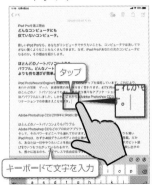

文字入力を行う場合は、入力したい場所をタップしよう。すると文字入力位置にカーソルが表示され、画面下にキーボードも表示される。

2 文字入力して変換候補を選択

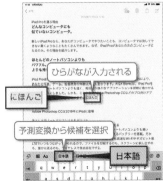

キーボードのキーをタップして日本語を入力すると、カーソル位置にひらがなが入力され、キーボードの上部には予測変換が一覧表示される。

3 文字変換を確定する

予測変換から候補をタップすると変換が確定される。なお、予測変換機能は次に入力されるものを予測して、さらに候補を表示してくれる。

4 変換候補を一覧表示する場合

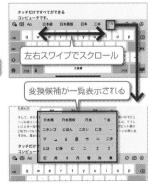

変換候補は左右にスワイプすれば、別の候補を表示できる。変換候補一覧の右端にある「∧」キーでさらに変換候補を表示することも可能。

iPadスタートガイド

02 「日本語-かな」キーボードでの入力方法

初心者向きの わかりやすいキーボード

日本語-かなキーボードでは、五十音表のように文字が並び、入力したい文字をすぐ探せるというわかりやすさがある。パソコンのキーボードに慣れていない人やローマ字入力が苦手な人でも、日本語や英語、数字・記号を快適に入力することが可能だ。

日本語-かなキーボードの各種キーについて

	「」	わ	ら	や	ま	は	な	た	さ	か	あ	⊗
☆123												
ABC	?	を	り		み	ひ	に	ち	し	き	い	空白
あいう	!	ん	る	ゆ	む	ふ	ぬ	つ	す	く	う	
🎤	、	ー	れ		め	へ	ね	て	せ	け	え	改行
🌐	。	ぷ	ろ	よ	も	ほ	の	と	そ	こ	お	⌨

1 各種文字キー
タップして文字を入力する。入力モードによって入力できる内容が変わる。

2 入力モード切り替え
入力する文字種を切り替える。「あいう」なら日本語、「ABC」ならアルファベット、「☆123」なら数字と記号用のキーボードに切り替わる。

3 音声入力
タップすると音声による文字入力が行える。

4 キーボード切り替え
タップで別のキーボードに切り替える。ロングタップするとすべてのキーボードがリスト表示され、直接切り替えが可能。

5 削除キー
カーソル位置より左側にある1文字を削除する。

6 空白／次候補キー
全角スペースを入力する。日本語入力後は次候補キーに変わり、予測変換の次候補を選択できる。

7 改行／確定キー
改行する。日本語入力後は確定キーに変わり、現在選択している変換候補を確定する。

8 キーボードの非表示
キーボードを非表示にする。キーボードの裏に隠れてしまったボタンなどを押したい時に便利。文字入力欄をタップすれば再度キーボードが表示される。

3つの入力モードで文字を入力

「あいう」キー 日本語入力モード

日本語入力時に利用するモード。キートップにひらがなが表示され、タップすることで日本語を入力できる。

「ABC」キー 英語入力モード

アルファベットやよく使う記号を入力するモード。大文字小文字の切り替えや全角文字にも対応している。

「☆123」キー 数字・記号入力モード

数字や記号を入力するモード。年、日、分など日時を示す漢字もすぐ入力できる。顔文字も入力可能だ。

日本語-かなキーボードの基本的な使い方

日本語-かなキーボードでは、各文字キーをタップすれば、キー上に書かれている文字がそのまま入力される。文字入力が行われると、キーボードの上部に漢字などの予測変換候補が表示されるので、タップして変換を確定させよう。また、上で解説した3つの入力モードを切り替えて使えば、アルファベットや記号・数字なども自由自在に入力することができる。

キーボード入力の流れ

1 文字キーをタップして文字入力

入力したい文字をタップ

あかいはな

表示された文字キーをタップすれば、キー上に表示された文字が入力される。

2 変換を確定させる

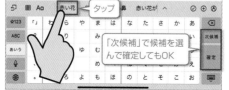

タップ

「次候補」で候補を選んで確定してもOK

赤い花

文字を入力すると、キーボード上部に予測変換の候補が表示される。タップして変換を確定させよう。

3 入力する文字種を切り替える

タップ

赤い花 flower

左端の「あいう」「ABC」「☆123」キーをタップすれば、それぞれに対応した入力モードに切り替わる。

日本語入力時に覚えておきたい操作法

日本語-かなキーボードで日本語を入力する際は、さまざまなキーを使いこなす必要がある。「っ」や「ぉ」などの小書き文字や、「ば」や「ぷ」などの濁点・半濁点を入力する方法も知っておこう。慣れてきたら、各種キーのロングタップやフリック操作での入力を併用すれば、よりスムーズな文字入力が実現可能だ。しっかり身につけてキーボード操作をマスターしよう。

小書き文字や濁点、半濁点の入力

文字入力後に「小」キーをタップ

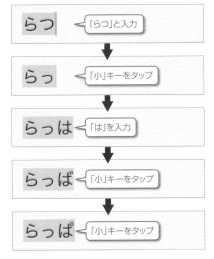

上で示した「小」キーで、直前に入力した文字を小書き文字にしたり、濁点や半濁点付きに変換することが可能だ。たとえば、「つ」を入力した後にこのキーを押すと「っ」になる。また、「は」を入力した後にこのキーを押せば「ば」になり、もう一度押すと「ぱ」に切り替わる。

句読点や感嘆符、カギ括弧の入力

句読点や括弧の入力はここから

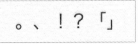

左で示した一連のキーをタップすると、句読点や感嘆符、疑問符、カギ括弧を入力できる。カギ括弧のキーは、一度タップすると左括弧、二度連続でタップすると右括弧の入力となるので覚えておこう。

別の括弧を入力する

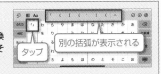

カギ括弧キーをタップすると、予測変換候補に別種類の括弧が表示される。そのほかの括弧はここから入力しよう。

ロングタップ／フリック操作での入力

ロングタップで小書き文字や濁音を入力

一部のキーでは、ロングタップすることで関連する文字（小書き文字／濁音／半濁音など）が表示される。キーをロングタップした後、上下左右に展開される文字に指をスライドして入力しよう。

フリック入力ならさらに素早く入力可能

ロングタップ入力の応用がフリック入力だ。たとえば、「ふ」をはじくようににフリックすると「ぶ」を入力できる。「小」キーをいちいち押すよりもスピーディに入力できるので覚えておこう。

カタカナの入力方法

直接入力できないものは変換で入力

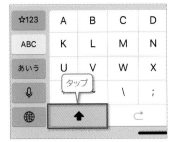

カタカナの入力は、一旦ひらがなの状態で文字を入力し、変換候補からカタカナを選んで確定すればよい。ほかに、キーボード上では直接入力できないような文字も変換を使えば自在に入力できる。

英語や数字・記号入力時に覚えておきたい操作法

アルファベットを入力する際は「ABC」キーで英語入力モード、数字や記号を入力する際は「☆123」キーで数字・記号入力モードに切り替えよう。これらのモードでは、シフトキーや全角キーといった特殊なキーが存在する。シフトキーは大文字アルファベットやそのほかの記号の入力に、全角キーは全角文字の入力に使うので覚えておこう。

大文字アルファベット／全角文字の入力

1 シフトキーを利用する

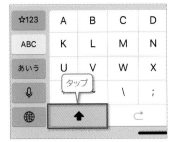

Abcdefg

「ABC」キーで英語入力モード切り替えたら、シフトキーをタップ。文字キーをタップすると、直後の1文字だけが大文字になる。

2 ダブルタップでシフトキーの固定

ABCDEFG

シフトキーをダブルタップすると、再びシフトキーを押さない限り解除されない。そのため、連続した大文字の入力が可能になる。

3 全角キーで全角文字の入力

ＡＢＣＤＥＦＧ

英語入力／数字・記号入力モードに用意されている、全角キーをタップすると、それ以降の文字入力がすべて全角文字になる。

顔文字を入力する

数字・記号入力モードのキーボードにある顔文字キーをタップすると、予測変換候補によく使われる顔文字が表示される。顔文字をよく使う人は利用しよう。

03 「日本語-ローマ字」キーボードでの入力方法

日本語-ローマ字キーボードの各種キーについて

パソコンのキーボードと同じ感覚で使える

日本語-ローマ字キーボードでは、フルキーボード上で日本語入力を行える。パソコンのキーボード操作と同じようにローマ字入力ができるので、慣れている人はスピーディに文字を入力できるだろう。入力モードを切り替えれば、英語や数字記号も入力可能だ。

1 各種文字キー
タップして文字を入力する。キートップに小さな文字が書かれたキーは、下フリックで入力できる。

2 音声入力
音声で文字を入力する。

3 空白／次候補キー
全角スペースを入力する。日本語入力後は次候補キーに変わる。

4 タブキー
入力エリアを切り替えたり文字の先頭を揃える。

5 英語／日本語入力モードの切り替え
タップするごとに英語入力と日本語入力のモードを切り替える。

6 シフトキー
大文字のアルファベットや別の文字種に切り替え。

7 キーボード切り替え
別のキーボードに切り替える。

8 削除キー
カーソル位置より左側にある1文字を削除する。

9 改行／確定キー
改行する。日本語入力後は確定キーに変わり、現在選択している変換候補を確定する。

10 数字・記号入力モードの切り替え
タップすると数字・記号入力モードに切り替わる。

11 キーボードの非表示
キーボードを非表示にする。キーボードの裏に隠れてしまったボタンなどを押したい時に便利。文字入力欄をタップすれば再度キーボードが表示される。

3つの入力モードで文字を入力

「あいう」キー
日本語入力モード

日本語入力時に利用するモード。ローマ字入力で日本語を入力することができる。

「abc」キー
英語入力モード

アルファベットやよく使う記号を入力するモード。大文字小文字の切り替えや全角文字にも対応している。

「123」キー
数字・記号入力モード

数字や記号を入力するモード。日本語入力用と英語入力用の2種類のモードが用意されている。

各入力モードの切り替えについて

2つの切り替えキーを使いこなす

「日本語」⇔「英語」の切り替え

「日本語／英語」⇔「数字・記号」の切り替え

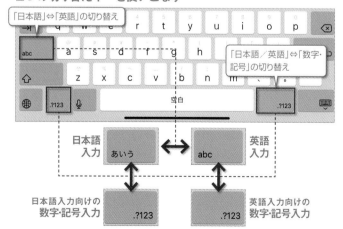

日本語入力と英語入力の切り替えはキーボード左のキーで行い、数字・記号入力の切り替えは下部のキーで行う。それぞれの役割を覚えれば、日本語やアルファベット、数字・記号のすべての文字種が入力可能だ。

数字・記号入力モードのシフトキーについて

「#+=」キーでさらに別の記号が入力できる

「.?123」キーをタップして数字・記号入力モードに切り替える

「#+=」キーをタップすると、別の記号が入力できるようになる

数字・記号入力モードに切り替えると、シフトキーなどが「#+=」キーに変化する。このキーをタップすると、さらに別の記号が入力可能だ。なお、日本語入力用と英語入力用では入力できる文字が異なっている。

日本語-ローマ字キーボードの基本的な使い方

日本語-ローマ字キーボードでは、ローマ字入力で日本語を入力できる。たとえば「にほんご」と入力したい場合は、「nihongo」と文字キーをタップしていけばよい。変換の方法は日本語-かなキーボード(P034参照)と同じで、変換候補から選んでタップすればOKだ。また、アルファベットや数字・記号を入力したい場合は、「abc」や「.?123」キーでモードを切り替えよう。

キーボード入力の流れ

1 | ローマ字で文字を入力

にほんごにゅうりょく

日本語入力モードでは、「nihongo」のようにローマ字表記でキーをタップし文字を入力する。

2 | 変換を確定させる

日本語入力

文字入力されると、キーボード上部に予測変換の候補が表示される。タップして変換を確定しよう。

3 | 入力する文字種を切り替える

日本語入力 Japanese

英語を入力したい場合は、「abc」キーを押して英語入力モードに切り替えよう。

句読点や感嘆符の入力

シフトキーで感嘆符も入力可能

、。！？

句読点はキーボード右下にある「、」「。」キーを押せば入力できる。シフトキーを押すことで「！」「？」も同じキーで入力することが可能だ。

各種括弧の入力

予測変換も使ってさまざまな括弧を入力

「」( )

丸括弧やカギ括弧は、数字・記号入力モードで行う。各括弧のキーを押すと、予測変換候補に別の種類も表示されるので活用しよう。

下フリックで数字や記号を入力

モードを切り替えずに入力できる

1234@#¥-

キートップの上部に書かれている小さな文字は、下方向にフリックすることで入力ができる。モードを切り替えずに数字や記号を入力したいときに便利。

英語や数字・記号入力時に覚えておきたい操作法

アルファベットを入力する際は英語入力モード、数字や記号を入力する際は数字・記号入力モードに切り替えよう。シフトキー、全角キー、顔文字キーなどの操作は、日本語-かなキーボードと同様だ。さらに、「取り消す」「やり直す」といったキーも用意されているので、必要に応じて利用しよう。

大文字アルファベット／全角文字／顔文字の入力

1 | ダブルタップでシフトキーの固定

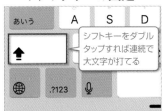

ABCDEFG

大文字アルファベットの入力方法は、日本語-かなキーボードと同様だ。シフトキーをタップすると、直後に入力した1文字だけが大文字になる。ダブルタップするとシフトキーが固定され、大文字を連続して入力することができる。

2 | 全角キーで全角文字の入力

Ａｂｃｄｅｆｇ

英語入力／数字・記号入力モードに用意されている全角キーをタップすると、それ以降の文字入力がすべて全角文字になる。または、文字キーをロングタップして上にフリックしても、全角文字を入力することができる。

3 | 顔文字の入力は顔文字キーで

＾＾　＾＾　＾＾　＾_＾

日本語入力向けの数字・記号入力モードに切り替えると、キーボードの左下に顔文字キーが用意されている。これをタップすれば、予測変換候補によく使われる顔文字が表示される。顔文字をよく使う人は利用しよう。

「取り消す」「やり直す」キーとは?

数字・記号入力モードには、「取り消す」「やり直す」キーが用意されている。直前の入力を取り消したり、入力をやり直すことが可能だ。

文字入力

04 絵文字&英語キーボードでの入力方法

そのほかのキーボードも
使ってみよう

絵文字キーボードでは、iOSおよびiPadOS独自の絵文字が入力できる。顔や手など一部の絵文字はロングタップして肌の色を変更することも可能だ。英語キーボードは、英文を頻繁に入力する人向けのキーボードとなる。日本語-かな／日本語-ローマ字キーボードでのアルファベット入力に不満がなければ使わなくてもいい。

絵文字キーボードの各種キーについて

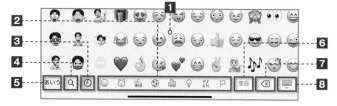

1 各種文字キー
タップして絵文字を入力する。左右スワイプではかの絵文字候補を表示できる。

2 カテゴリ切り替え
絵文字のカテゴリを切り替える。左右スワイプでほかの絵文字候補を表示できる。

3 よく使う絵文字
よく使う絵文字を表示する。

4 絵文字を検索
タップすると絵文字をキーワード検索できる。

5 キーボード切り替え
タップで別のキーボードに切り替える。

6 空白キー
タップで空白を挿入する。

7 削除キー
カーソル位置より左側にある1文字を削除。

8 キーボードの非表示
キーボードを非表示にする。

英語（日本）キーボードの各種キーについて

1 各種文字キー
タップして文字を入力。

2 音声入力
タップすると音声による文字入力が行える。

3 タブキー
入力エリアを切り替えたり文字の先頭を揃える。

4 入力モード切り替え
日本語や数字・記号入力モードに切り替える。

5 シフトキー
大文字のアルファベットや別の文字種に切り替える。

6 キーボード切り替え
別のキーボードに切り替える。

7 スペースキー
半角スペースを入力。

8 削除キー
左側にある1文字を削除。

9 リターンキー
改行する。

10 キーボードの非表示
キーボードを非表示にする。

文字入力

05 キーボードの便利機能を利用する

トラックパッドモードと
ショートカットを使う

iPadのキーボードでは、ノートパソコンのトラックパッドのように操作できる「トラックパッドモード」が搭載されている。このモードでは、キーボード部分を2本指でタッチすることにより、カーソル移動や選択範囲が自由自在に行えるようになる。また、やり直しやコピーといったよく使う機能は、キーボード上部のショートカットボタンからも呼び出せるので覚えておこう。

トラックパッドモードとショートカットボタンの使い方

1 2本指でタッチしてカーソル移動

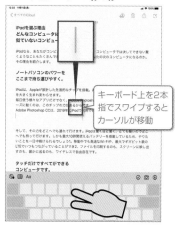

キーボード上を2本指でスワイプするとカーソルが移動

キーボード部分に2本指を置くとトラックパッドモードに切り替わる。2本指をそのまま動かせば、自在にカーソル移動が可能だ。

2 2本指で範囲選択もできる

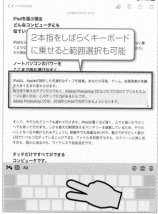

2本指をしばらくキーボードに乗せると範囲選択も可能

2本指でキーボード部分にしばらく触れていると、カーソルの形が変わって、スワイプ操作での選択範囲が可能になる。

3 ショートカットで機能を呼び出す

キーボード上部には、ショートカットボタンが用意されている。やり直しやコピーなど、よく使う機能をボタンで呼び出すことが可能だ。

キーボードを分割することも可能

キーボード非表示キーをロングタップして「分割」を選ぶと、キーボードを左右に分割できる。ただし、iPad Proの11インチや12.9インチ（第3世代以降）は分割キーボードに非対応。

キーボードが左右に分割

042

文字入力

06 入力した文字の編集方法

文字の各種編集方法を
覚えておこう

各種キーボードの使い方を理解したら、入力した文字の基本的な編集方法も把握しておこう。iPadでは、文字をタップしたり、ダブルタップしたりすると、カーソルの上に「選択」や「コピー」、「ペースト」などの各種編集メニューが表示されるようになっている。これを利用することで、パソコンと同じようにコピー&ペーストや範囲選択などの編集作業が可能だ。

文字の範囲選択やコピー&ペーストなどを行う

1 タップでカーソル挿入

文字部分を軽くタップすると、その場所に「｜｜」マークでカーソルが表示される。文字の挿入や削除はこの位置で行われる。

2 カーソルをドラッグで移動
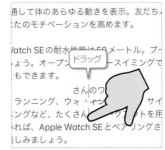
表示されるカーソルをドラッグすると、カーソルを自由な位置に移動できる。カーソルも上部に拡大表示されるので移動箇所が分かりやすい。

3 メニューの表示

カーソル位置をタップすると、カーソル上部に「選択」や「すべてを選択」などのメニューが表示される。

4 選択範囲の設定
メニューから「選択」もしくは「すべてを選択」を選ぶと、選択範囲が表示される。左右端のカーソルをドラッグして範囲を調整しよう。

5 文字をカットもしくはコピーする

範囲選択を行うと、「カット」「コピー」などのメニューが表示される。文字のカットやコピーを実行したい場合は各項目をタップ。

6 文字をペーストする

「カット」、「コピー」した後にカーソル位置を指定し直すと、メニューに「ペースト」が表示される。これで文字の複製や切り貼りが可能だ。

7 編集の取り消し

編集作業を1段階前の状態に戻したい場合は、3本指で左にスワイプするか（P0044参照）、iPad本体を振れば取り消しメニューが表示される。

8 単語の選択と選択文字の削除
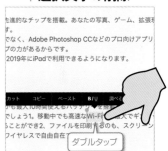
文字をダブルタップすると、単語だけを範囲選択できる。また、文字を選択中に削除キーをタップすれば、選択中の文字を削除可能だ。

9 複数回タップで段落や文章を選択

文字を3回タップすると段落がまとめて選択される。また2本指で2回タップすると、カーソル位置を含む句点（。）までの一文が範囲選択される。

10 確定した文字を再変換する

確定後に見つけた誤字は、一度削除して入力し直さなくても、誤字部分を選択状態にするだけで、変換候補から選んで変換し直せる。

11 ドラッグ&ドロップで文章を移動する
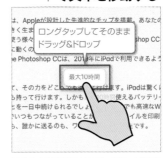
テキストを選択してロングタップすると、テキストが浮かび上がる。そのままドラッグ&ドロップすれば、好きな位置に移動できる。

12 長文の途中で一度変換させる

長文を入力していておかしな変換になった時は、変換を区切りたい箇所にカーソルを合わせると、その位置までをひとつの文として先に変換できる。

07 3本指のジェスチャーを使いこなす

3本指だけでコピーや取り消し操作が可能

iPadでは、3本指を使ったジェスチャーによって、文字のコピーやペースト、取り消し、やり直しといった操作を行えるようになっている。特に従来の取り消し操作は、重いiPad本体を振って「取り消す」ボタンを表示させるという、あまり実用的でないジェスチャーしか用意されていなかったので、より簡単な3本指のジェスチャーを覚えておこう。

文章編集で使える3本指ジェスチャーの種類

1 3本指ピンチインでコピー＆カット

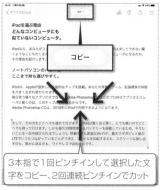

3本指で1回ピンチインして選択した文字をコピー、2回連続ピンチインでカット

文字を選択し、3本指でピンチイン（指を閉じる）操作を行うと、選択した文字がコピーされる。ピンチインを2回繰り返すとカットとなる。

2 3本指ピンチアウトでペースト

3本指でピンチアウトしてコピーした文字を貼り付け

文字を貼り付けたい場所にカーソルを合わせ、3本指でピンチアウト（指を開く）操作を行うと、カーソル位置にコピーした文字が貼り付けられる。

3 3本指左スワイプで取り消し

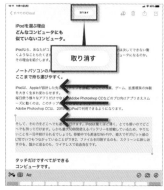

直前の編集操作を取り消したい時は、3本指で左にスワイプしてみよう。操作が取り消されて元の文章に戻る。

4 3本指右スワイプでやり直し

編集操作を誤って取り消してしまった場合は、3本指で右にスワイプしてみよう。取り消しをキャンセルしてやり直せる。

08 辞書に単語を登録する

辞書登録で文字入力を効率化しよう

よく使用する固有名詞やメールアドレス、住所などは、辞書登録しておけば、予測変換から選んで素早く入力できる。本体の「設定」→「一般」→「キーボード」→「ユーザ辞書」を開き、「＋」ボタンで「単語」と「よみ」を登録しよう。これで、「よみ」を入力するだけで、「単語」の文字が候補として表示されるようになる。

ユーザ辞書に新規単語を追加／削除する

1 「ユーザ辞書」をタップする

よく使う単語を辞書に登録するには、まず「設定」を開き、「一般」→「キーボード」→「ユーザ辞書」をタップする。

2 「＋」をタップして単語と読みを登録

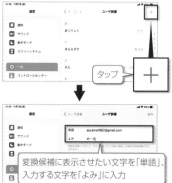

変換候補に表示させたい文字を「単語」、入力する文字を「よみ」に入力

「＋」をタップして登録する。例えば、「単語」にメールアドレス、「よみ」に「めーる」と入力しておけば、「めーる」の変換候補からアドレスを選択できる。

3 登録した辞書を削除するには

左までスワイプすると削除できる

登録した単語とよみは、「ユーザ辞書」画面に一覧表示される。単語を選んで左にスワイプすると、辞書から削除できる。

選択文字を辞書に登録することも可能

Safariなどで文字を選択し、メニューから「ユーザ辞書」をタップすると、選択した文字をすぐに辞書登録することができる。

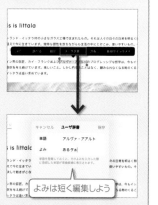

よみは短く編集しよう

文字入力

09 フローティングキーボードを利用する

小さなキーボードで
画面を広く使える

iPadのキーボードは通常画面の下部いっぱいに表示されるが、「フローティングキーボード」に切り替えることで、サイズが小さくなり、画面を広く使えるようになる。また、フローティングキーボードの時は、iPhoneのようにフリック入力したり、キーをなぞるだけで素早く文字入力するといった機能も利用できる。

フローティングキーボードの切り替えと機能

**1 | フローティング
キーボードにする**

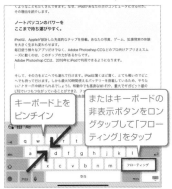

キーボード上をピンチインするか、右下のキーボードボタンをロングタップして「フローティング」をタップすると、フローティングキーボードに切り替わる。

**2 | iPadで
フリック入力を使う**

「日本語―かな」キーボードに切り替えると、iPhoneのようなフリック入力が可能になる。下のバーをドラッグして、片手で入力しやすい場所に配置しよう。

**3 | なぞり入力で
英字を入力する**

「英語」キーボードに切り替えて、キーボードを指を離さずに一筆書きのようになぞると、なぞったキーから予測された英単語が入力される。

**4 | 元のキーボードに
戻す**

フローティングキーボードを解除したい場合は、キーボード上をピンチアウト。元のフルサイズのキーボードに戻る。

文字入力

10 音声で文字を入力する

音声入力を使えば
長文入力も快適

iPadでのタイピングが苦手な人は、音声入力の利用がおすすめだ。音声認識はかなり精度が高く、長文入力にも十分対応できる実用的な機能となっている。ただし、音声で句読点や記号を入力するには、それぞれに対応したワードを声に出す必要がある。また、音声入力時は変換候補から選択できず、削除やコピー&ペーストといった操作もできない。

音声入力の切り替えと入力方法

**1 | マイクボタンを
タップする**

キーボードのマイクボタンをタップしよう。表示されない場合は、「設定」→「一般」→「キーボード」で「音声入力」がオンになっているか確認。

**2 | 音声でテキストを
入力していく**

マイクに話しかけると、ほぼリアルタイムでテキストが入力される。句読点や主な記号の入力方法は右にまとめている。

**3 | キーボード画面に
戻るには**

元のキーボード入力画面に戻るには、音声入力の画面内を一度タップするか、右下のキーボードボタンをタップすればよい。

句読点や記号を 音声入力するには	
かいぎょう	改行
たぶきー	スペース
てん	、
まる	。
かぎかっこ	「
かぎかっことじ	」
びっくりまーく	！
はてな	？
なかぐろ	・
さんてんリーダ	…
どっと	.
あっと	@
ころん	:
えんきごう	\
すらっしゅ	/
こめじるし	※

スムーズに操作するために!
まずは覚えて おきたい操作& 設定ポイント

iPadを本格的に使い始める前に
覚えておきたい操作や、
確認したい設定項目をまとめて紹介。
ストレスなく操作するために、
ぜひ最初にチェックしておこう。

---

03 | 自動ロックするまでの 時間を設定する
短すぎると使い勝手が悪い

セキュリティと利便性の バランスを考慮する

iPadは一定時間タッチパネル操作を行わないと、画面が消灯し自動でロックされてしまう。ロックされるまでの時間は、標準の2分から変更可能。すぐにロックされて不便だと感じる場合は、長めに設定しよう。なお、Face ID搭載iPadでは、画面への視線が認識されている限りスリープに移行しない。この機能が不要なら、「設定」→「Face IDとパスコード」で「画面注視認識機能」をオフにしよう。

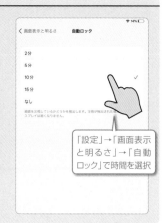

「設定」→「画面表示と明るさ」→「自動ロック」で時間を選択

---

01 | 画面を縦向きや 横向きに固定する
勝手に回転しないように

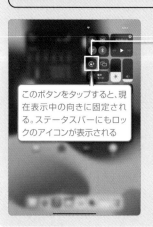

画面の向きを固定中

このボタンをタップすると、現在表示中の向きに固定される。ステータスバーにもロックのアイコンが表示される

寝転んで画面を見る ときなどは固定する

iPadは、内蔵センサーによって本体の向きを感知し、それに合わせて画面の向きも自動で回転する。寝転がってWebや動画を見る際など、画面が回転してわずらわしい場合は、コントロールセンターの「画面の向きのロック」で、画面の向きを固定しよう。

---

04 | 画面の一番上へ ワンタップで移動する
スクロールの手間を省く操作法

ステータスバーを タップしよう

メールや設定、ミュージック、Twitter、ニュースアプリなどで、画面をどんどん下へ読み進めた後、ページの一番上へ戻りたい時は、スワイプやフリックを繰り返す必要はなく、ステータスバーをタップするだけでよい。それだけで即座にページの一番上に画面がスクロールする。縦にスクロールするほとんどのアプリで利用できる操作法なので覚えておこう。

ここをタップするだけで画面の一番上へスクロール。Safariの場合は、検索フィールドが表示されるので、もう一度タップしよう

---

02 | キーボードの操作音 をオフにする
打鍵音が気になるならオフに

「設定」→「サウンド」 でスイッチをオフに

標準では、キーボードで文字を入力するたびにカチカチ音が鳴り、公共の場などで気になる場合も多い。不要なら、あらかじめ「設定」→「サウンド」で「キーボードのクリック」のスイッチをオフにしておこう。なお、着信音／通知音の音量によってキーボードのクリック音もコントロールされるため、コントロールセンターで消音モードを有効にすれば、キーボードの音も消音となる。

キーボードのクリック

「設定」→「サウンド」で「キーボードのクリック」をオフにする

---

05 | 機内モードを 利用する
航空機の出発前にオンにする

すべての通信を 無効にする機能

航空機内など、電波を発する機器の使用を禁止されている場所では、コントロールセンターで「機内モード」を有効にしよう。モバイルデータ通信やWi-Fi、Bluetoothなどすべての通信を遮断する機能で、航空機の出発前に有効にする必要がある。機内でWi-Fiサービスを利用できる場合は、機内モードをオンにした状態のままで、航空会社の案内に従いWi-Fiを有効にしよう。

飛行機のアイコンのボタンをタップして機能をオンに

06 | Wi-Fiに接続する

パスワードを入力するだけ

パスワードを入力して「接続」をタップ。なお、アクセスポイント名が2つ表示され、5GHzと2.4GHzの2つの帯域で接続できる場合は、基本的には5GHzを選べばよい

Wi-Fiの基本的な接続方法を確認

　初期設定でWi-Fiに接続しておらず、後から設定する場合や、友人宅などでWi-Fiに接続する場合は、「設定」→「Wi-Fi」をタップし、続けて接続するアクセスポイント名(SSID)をタップ。後はパスワードを入力するだけでOKだ。一度接続したアクセスポイントには、以降基本的には自動で接続される。SSIDやパスワードは、Wi-Fiルータに貼ってあるシールに記載されていることが多い。

07 | アプリをインストールする基本操作

まずは無料アプリを試してみよう

Apple ID取得済みなら App Storeを利用可能

　iPadは「App Store」というアプリ配信ストアからさまざまなアプリをインストールして利用できる。初期設定などでApple IDを取得していれば、ホーム画面にある「App Store」アプリを起動してすぐにインストール可能だ。アプリの情報画面に「入手」というボタンが表示されているものは無料アプリなので、タップして試してみよう。App Storeの詳しい使い方はP068で解説している。

タップしてApple IDの認証を済ませれば、すぐにインストールできる

08 | アプリを素早く切り替える

画面下部を左右にスワイプする

画面下部を右へスワイプ

ホームボタンのあるiPadでは、画面下部で弧を描くようにスワイプすると同様の操作を行える

アプリを行き来して作業する際に助かる

　ホームボタンのないフルディスプレイモデルのiPadでは、画面下部を右へスワイプするとひとつ前に使ったアプリを素早く表示可能。さらに右へスワイプして、過去に使ったアプリを順に表示可能だ。また、右へスワイプした後、すぐに左へスワイプすれば元のアプリに戻ることもできる。2つのアプリを何度も切り替えながら作業したい際は、Appスイッチャーを使うよりもスムーズだ。

09 | 共有ボタンの使い方を覚える

情報の送信や投稿、保存に利用

多くのアプリで共通するボタン

　多くのアプリに備わっている「共有ボタン」。タップすることで共有メニューを表示し、さまざまなアクションを選択できる。データのメール送信やSNSへの投稿、クラウドへの保存など、アプリによってメニューに表示されるアクションは異なるが、基本的には別のアプリにデータを受け渡すための機能だ。また、Safariの「ブックマークを追加」など、オプション機能がこのメニューに表示される場合もある。なお、メニューに表示されるアプリやアクションは編集可能だ。

Safariで共有ボタンをタップ。ほとんどのアプリの共有ボタンはこのデザインだ

共有メニューが表示。ブックマークへの追加やメール、メッセージ、AirDropによる送信など各種操作を行える。なお、よく使うアクションは上位に表示され、すぐに選択できるようになる

メニューの内容を編集する

共有メニューを表示し、アプリのリストの一番右の「その他」→「編集」で、表示するアプリを選択できる。また、アクションの一番下の「アクションを編集」で、表示するアクションを選択する

アクションの編集画面。「+」をタップで、「よく使う項目」に追加できる。また不要な項目は、スイッチをオフにしておこう

10 | クイックアクションメニューを利用する

アプリをロングタップしてみよう

カメラアプリをロングタップし、「ポートレートセルフィーを撮る」や「ビデオを撮影」などをワンタップで呼び出せる。メニューはアプリごとに異なる

アプリごとに表示メニューは異なる

　ホーム画面やAppライブラリのアプリをロングタップすると、クイックアクションメニューが表示される。ホーム画面の編集やアプリの削除をはじめ、各アプリ固有の機能も素早く呼び出せる。また、ファイル管理アプリやクラウドアプリなど、iCloud Driveと連携できるアプリのクイックアクションメニューには、iCloud Driveの「最近使った項目」のファイルが表示され、すぐに開ける。

11 | Siriを利用する

iPadの優秀な秘書機能

Siriを有効にする

| トップボタンを押してSiriを使用 | ⬤ |
| ロック中にSiriを許可 | ⬤ |

「設定」→「Siriと検索」で「トップ（ホーム）ボタンを押してSiriを使用」をオンにする。必要に応じてロック中の使用も許可しよう

電源ボタンを長押し

フルディスプレイモデルのiPadでは、電源／スリープボタンを長押ししてSiriを起動。画面右下にSiriが表示され、画面を操作しながらSiriを利用できる

ホームボタンを長押し

ホームボタンを搭載したiPadではホームボタンを長押ししてSiriを起動する

電源ボタンや
ホームボタンで起動

iPadに話しかけることで、情報を調べたり、さまざまな操作を実行してくれる「Siri」。「今日の天気は？」や「ここから○○駅までの道順は？」、「○○をオンに」など多彩な操作をiPadにまかせることができる。Siriを起動するには、電源／スリープボタンを長押しし、ホームボタン搭載モデルではホームボタンを長押しする。まずは、「設定」→「Siriと検索」で「トップ（ホーム）ボタンを押してSiriを使用」をオンにしよう。また、「Hey Siri」機能を使えば、「Hey Siri」と呼びかけてSiriを起動することもできる。

「Hey Siri」で起動

"Hey Siri"を聞き取る ⬤

↓

iPadに向かって、"Hey Siri"と言ってください

「設定」→「Siriと検索」で「"Hey Siri"を聞き取る」をオンにし、自分の声を認識させると、「Hey Siri」と話しかけるだけでSiriを起動できるようになる

---

12 | ホーム画面やロック画面の壁紙を変更する

撮影した写真も設定できる

視差効果の有無
も選択可能

ホーム画面およびロック画面の壁紙は、自由に変更可能だ。ホーム画面とロック画面で別々の壁紙を設定することもできる。「設定」→「壁紙」→「壁紙を選択」で「静止画」か「ダイナミック」（アニメーションで動く壁紙）を選択。好みの画像をタップしよう。また、写真アプリから撮影した写真や自作のイラスト画像などを壁紙として利用することも可能。視差効果のオン／オフも選択できる。

壁紙を選択後、画面右下の「設定」をタップ。続けて設定先をロック画面、ホーム画面、両方から選択する。奥行き感を演出する視差効果（本体の傾きによって壁紙に動きを持たせる）の有無も設定しよう

---

13 | 夜間は目に優しいダークモードにする

設定時間に自動切り替え可能

壁紙選択画面でこのマークの付いた壁紙は、ダークモードに対応している。マークのない壁紙も、「設定」→「壁紙」→「ダークモードで壁紙を暗くする」をオンにすれば、若干暗くなる

黒を基調とした
画面にチェンジ

黒を基調とした画面で目に優しい「ダークモード」。「設定」→「画面表示と明るさ」の「外観モード」で「ダーク」を選べば、各種アプリの画面が黒ベースのデザインに変化する。「自動」をオンにしてスケジュールを設定すれば、時間によってライトモードとダークモードを自動で切り替えることも可能。なお、対応壁紙を選べば、ホーム画面もダークモードにすることができる。

---

14 | スクリーンショットを保存する

2つのボタンを同時に押す

加工や共有も
簡単に行える

表示されている画面そのままを画像として保存できるスクリーンショット機能。電源／スリープボタンと音量ボタンのどちらかを同時に押して撮影する。ホームボタン搭載モデルでは、電源／スリープボタンとホームボタンを同時に押して撮影する。撮影後、画面左下に表示されるサムネイルをタップすると、マークアップ機能での書き込みや各種共有を行うことができる。

2つのボタンを押すと、画面左下にサムネイルが表示。しばらく待つとそのまま「写真」アプリに保存される。タップすればマークアップや共有機能を利用できる

---

15 | iPadで写真を撮影する

シャッターをタップするだけ

カメラアプリを
起動しよう

iPadで写真を撮影する操作はとても簡単。まず「カメラ」アプリを起動し、被写体にレンズを向ける。基本的にはピントも露出も自動で調整されるので、後は画面右に大きく表示された白い丸のシャッターボタンをタップするだけだ。シャッター音が聞こえれば撮影が完了。写真は「写真」アプリに保存されており、シャッター下のサムネイル画像をタップすればすぐに確認できる。

シャッターをタップするだけでOK。カメラの多彩な機能はP070で解説している

16 | ホーム画面から呼び出せる検索機能を利用する

アプリ内も対象にキーワード検索

ホーム画面を下へスワイプする

ホーム画面の適当な箇所を下へスワイプして表示する検索機能。アプリ、Webはもちろん、メールやメモ、連絡先のデータなど広範かつ多彩な対象をキーワード検索できる。検索フィールドに語句を入力するに従って、検索結果が絞り込まれていく仕組みだ。検索フィールドの下には、日頃の使い方や習慣を元に次に使うアプリや操作を提案してくれる「Siriからの提案」が表示される。

検索フィールドにキーワードを入力しよう。検索結果や「Siriからの提案」に表示したくないアプリは、「設定」→「Siriと検索」でアプリを選び、各スイッチをオフにしよう

17 | 表示される文字サイズを変更する

読みやすさと情報量を検討しよう

スライダで7段階に調整できる。大きくすれば読みやすく、小さくすれば画面内の情報量を増やすことができる

文字の大きさを7段階で変更

画面内の文字が小さくて見にくい場合は、「設定」→「画面表示と明るさ」→「テキストサイズを変更」で文字サイズを調整しよう。「設定」内の項目名やメールやメッセージの文章はもちろん、App Storeからインストールしたものを含めてさまざまなアプリで表示される文字サイズを7段階で変更可能だ。文字を小さくすることで、通知などの情報量を増やすこともできる。

18 | アプリごとに文字サイズを設定する

全体設定とは異なるサイズにできる

アクセシビリティで設定する

ひとつ前の記事では、iPad全体の文字サイズを変更する方法を紹介したが、アプリ単位で文字サイズを変更することも可能だ。「設定」→「アクセシビリティ」→「Appごとの設定」をタップし、続けて「Appを追加」をタップし文字サイズを変更したいアプリを追加。追加されたアプリ名をタップして、「さらに大きな文字」を開き、スライダを動かして文字サイズを設定しよう。

全体の文字サイズを設定した上で、特別に文字を大きく（小さく）したいアプリを個別に設定しよう。文字サイズだけではなく画面表示のさまざまな項目を設定できる

19 | 写真やファイルを複数選択する操作法

アプリの複数選択と同じ操作

2本の指を使ってまとめよう

ホーム画面で複数のアプリを選択し、移動させる方法はP022で解説した。アプリをひとつ少しドラッグさせ、そのまま指を離さず他のアプリをタップするという方法だが、この操作法で写真やファイルも複数同時に扱うことができる。写真アプリやファイルアプリで写真やファイルを整理したい時に利用したい。また、App Storeからインストールした他社製のアプリでも使える場合が多い。

写真アプリで写真をひとつ少しドラッグし、そのまま指を離さず別の指で他の写真をタップ。すると写真が集合してまとめて扱えるようになる。押さえたまま別の指で画面左上の「＜アルバム」をタップし、別のアルバムへ移動してドラッグ＆ドロップすることも可能だ

20 | 2本指ドラッグでメールやファイルを選択

複数の項目を素早く選択する

各種アプリで使える効率的な操作法

メールアプリやファイルアプリで複数のメールやファイルをまとめて選択したい場合は、2本指でドラッグしてみよう。素早くスムーズに複数の項目を選択状態にできる。メールを3通選択して指を離し、2通飛ばしてその下の3通をドラッグして合計6通選択するといった操作も可能だ。この2本指ドラッグの操作はさまざまなアプリで利用できる。特にリスト表示で使うと効率的だ。

2本指でドラッグして選択。再度2本指でドラッグすると、選択を解除できる

21 | 画面のスクロールを素早く行う操作法

スクロールバーをドラッグする

繰り返しフリックする必要なし

Safariで表示した縦に長いWebページやTwitterのタイムラインなどをスクロールする際は、画面右のスクロールバーを操作しよう。スクロールバーを少しロングタップし、上下にドラッグすればスピーディにスクロールを行える。スクロールバーが見当たらない場合は、スワイプやフリックで少しだけスクロールすれば画面右に表示される。

このバーをロングタップして上下にドラッグすれば高速にスクロールできる

22 | iPhoneのデータ通信を使ってネット接続する

Wi-Fiモデルでも外でネットを利用

インターネット共有の利用手順

iPadとiPhoneで同じApple IDを使ってiCloudにログイン。iPad、iPhone共にWi-Fi、Bluetoothを有効にする。iPhoneの「設定」で「インターネット共有」のメニューをタップ。続けて「ほかの人の接続を許可」をオンにする。オプション契約してもメニューが表示されない場合は、一度再起動してみよう

iPadの「設定」→「Wi-Fi」の「インターネット共有」欄にiPhoneの名前が表示されるのでタップすると、接続が完了する

インターネット共有接続中の表示。これでWi-Fiモデルのデバイスでも、外でネット接続可能になる

同じApple ID同士なら簡単に接続

インターネット共有（テザリング）機能を使えば、iPhoneで契約しているモバイルデータ通信を使ってiPadもネット接続することができる。使い方も簡単で、iPadとiPhoneで同じApple IDを使っていれば、パスワード不要で即座に接続が完了する。iPhoneの通信量を消費しすぎないよう気をつけながら利用しよう。なお、インターネット共有を利用するには、キャリアや契約状況によってはオプション契約が必要だ。また、ここでは解説しないが、Androidスマートフォンともテザリング機能で接続することが可能だ。

23 | 動画を再生しながら他のアプリを操作する

ピクチャインピクチャを利用する

再生画面のこのボタンをタップすれば、小型ウィンドウで動画が再生される。このボタンがなくても、再生中にホーム画面に戻る操作を行うことで、ピクチャインピクチャを開始できるアプリも多い

FaceTimeのビデオ通話でも使える機能

Apple TVや一部の動画配信、動画再生アプリでは、ピクチャインピクチャ機能で動画再生画面を小型化し、同時にホーム画面や他のアプリを操作することができる。この機能は、FaceTimeのビデオ通話時にも利用可能だ。なお、対応していない動画アプリの場合は、Split ViewやSlide Overなどを利用して、他のアプリと同時に動画再生できるか試してみよう（P028で解説）。

24 | いつでも呼び出せるクイックメモ機能

アプリ利用中でもメモを残せる

画面右下角から左上へスワイプして呼び出す。詳しい使い方はP080で解説

iPadOS 15で搭載された新機能

iPadOS 15では、いつでもどんなアプリを利用中でもその画面上に呼び出してメモを取れる、「クイックメモ」機能が搭載された。画面右下角から指やApple Pencilで左上方向へスワイプすると、小さなメモ画面が表示され、テキストや手書きでメモを取ることができる。使用中のアプリから写真やリンクをドラッグして取り込むことも可能だ。作成したメモは、メモアプリで管理される。

25 | QRコードを読み取る

コードスキャナーを利用しよう

簡単に情報にアクセスできる便利な機能

URLを入力することなくWebサイトにアクセスしたり、SNSの情報交換が簡単に行えるなど、さまざまなシーンで活躍するQRコード。iPadでは、コントロールセンターから呼び出せる「コードスキャナー」を起動し、カメラをQRコードへ向けることですぐに読み取ることができる。コントロールセンターにコードスキャナーがない場合は、P027の記事を参考に追加しておこう。

コントロールセンターからコードスキャナーを起動し、カメラをQRコードへ向けるとすぐに読み取りが完了し、動作が実行される

26 | アプリに位置情報の使用を許可する

プライバシー情報を管理する

ほとんどは「Appの使用中は許可」で問題ない。マップの現在地表示機能などは、位置情報の使用を許可しないと利用できない

アプリごとに使用許可を設定可能

特定のアプリを起動した際に表示される位置情報使用許可に関するメッセージ。マップや天気など、あきらかに位置情報が必要なアプリでは「Appの使用中は許可」を選択すればよい。「許可しない」を選んでも、位置情報が必要な機能を使う際は、設定変更を促すメッセージが表示される。位置情報は、「設定」→「プライバシー」→「位置情報サービス」で後から変更可能だ。

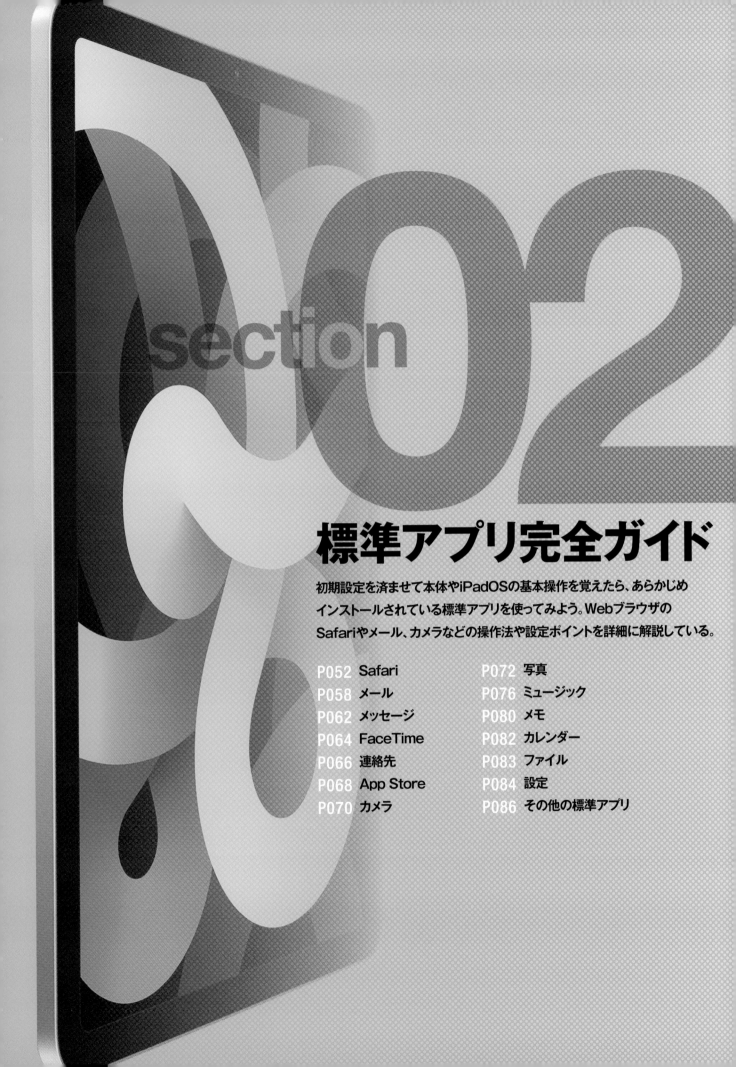

section

02

標準アプリ完全ガイド

初期設定を済ませて本体やiPadOSの基本操作を覚えたら、あらかじめ
インストールされている標準アプリを使ってみよう。Webブラウザの
Safariやメール、カメラなどの操作法や設定ポイントを詳細に解説している。

Safari

標準WebブラウザでWebサイトを快適に閲覧する

さまざまな便利機能を備える
Webブラウザアプリを使いこなそう

iPadでWebサイトを閲覧するには、標準で用意されているWebブラウザアプリ「Safari」を使おう。Safariのアドレスバーは「検索フィールド」と呼ばれ、キーワード検索ボックスとしても利用できる。Webページを検索したい場合は、検索フィールドにキーワードを入力すればよい。そのほか、画面内のスクロールや拡大・縮小、複数ページのタブ切り替え、よく見るサイトのブックマーク登録、閲覧履歴の確認といった、よく行う基本操作を覚えておこう。

また、SafariにはWebサイトを快適に閲覧するための便利な機能が多数用意されている。複数のタブをグループ化してまとめて管理できる「タブグループ」や、履歴を残さずWebページを閲覧できる「プライベートモード」、Safariに標準で用意されていない機能をあとから追加できる「機能拡張」など、Safariならではの機能を使いこなそう。

使い始め POINT! 検索フィールドにキーワードを入力してWebページを検索しよう

> ニュース

> タップしてキーワードを入力する。Apple Pencilを使って、手書きで文字を入力することもできる（P090で解説）

Safariを起動したら、まずは画面上部の検索フィールド内をタップしよう。キーボードでURLを入力してリターンキーをタップすれば、そのURLのページを直接開くことができる。この検索フィールドはその名の通りキーワード検索ボックスも兼ねており、キーワードを入力してリターンキーをタップすると、標準設定ではトップヒットのサイトか、またはGoogle検索結果が開く。また、キーワードの入力中には、検索フィールドの下部に、入力中の文字に関連した検索候補も表示される。これをタップすると、その候補の検索結果が表示される。

操作❶ | Webページの画面内の操作

1 リンクをタップしてリンク先のページにアクセスする

> リンクをタップしてリンク先のページを開く。

検索結果などWebページ内のリンクをタップすると、そのリンク先にアクセスし、Webページを表示することができる。

2 画面を上下に動かして続きのページを表示する

> 上下にスワイプして画面をスクロールする

Webページの画面が上下に続いている場合は、画面内を上下にスワイプしてみよう。スクロールして続きの画面が表示される。

3 文字が小さい画面はピンチ操作で拡大表示できる

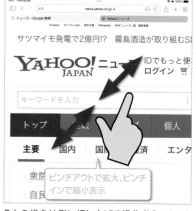

> ピンチアウトで拡大、ピンチインで縮小表示

2本の指を外側に押し広げる操作（ピンチアウト）で画面を拡大表示、逆に外から内に縮める操作（ピンチイン）で縮小表示することができる。

操作❷ | ツールバーやタブの操作

1 | 前のページに戻る、次のページに進む

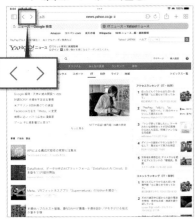

ツールバー左上の「<」をタップすると直前に開いていたページに戻る。戻ったあとに「>」をタップで次のページに進む。

2 | もっと前のページに戻る、先のページに進む

ロングタップして表示される閲覧履歴をタップ

「<」「>」をロングタップ（長押し）すれば、このタブの閲覧履歴が表示される。タップすればより前のページに戻ったり先のページに進める。

3 | 複数のWebページをタブで管理する

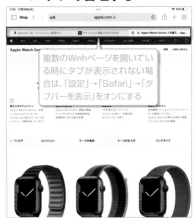

複数のWebページを開いている時にタブが表示されない場合は、「設定」→「Safari」→「タブバーを表示」をオンにする

複数のWebページを同時に開いている時は、画面上部に見出しが一覧表示される。これを「タブ」と言い、タップして簡単に表示を切り替えできる。

4 | 新しいタブでWebサイトを開く

今見ているサイトを残したまま、新しいタブで別のサイトを開ける

バックグラウンドで開く

画面右上の「+」をタップで新しいタブが開く。または、ページ内のリンクをロングタップして「バックグラウンドで開く」で、リンク先を新しいタブで開く。

5 | 開いている他のタブに切り替える

タップ

画面右上のタブボタンで開いているタブを一覧表示

画面上部のタブをタップして画面を切り替え。不要なタブの「×」をタップして閉じることができる。また、タブボタンでタブを一覧表示可能だ。

6 | 開いているすべてのタブをまとめて閉じる

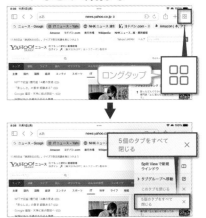

ロングタップ

5個のタブをすべて閉じる

タブボタンをロングタップして、表示されるメニューで「○個のタブをすべてを閉じる」をタップすれば、すべてのタブをまとめて閉じることができる。

使いこなしヒント

表示中のWebページを更新する

アドレスバーの右端にある、リロードボタン（回転した矢印）をタップすれば、表示中のページを更新して、最新の状態でWebページを表示することができる。

2本指でタップし新規タブで開く

リンク先を新規タブで開きたい場合は、いちいちロングタップして「バックグラウンドで開く」をタップしなくても、2本指でリンクをタップするだけでよい。

リンクを2本指でタップ

表示中のページ内のテキストを検索する

画面右上の共有ボタンをタップし、続けて「ページを検索」をタップすれば、ページ内のテキストを検索できる。一致する文字列は黄色でハイライト表示される。

ページを検索

1 サイドバーを表示する

タップしてサイドバーを開く

作成済みのタブグループ一覧

仕事や趣味など、カテゴリ別にタブをグループ分けできる機能が「タブグループ」だ。作成済みのタブグループはサイドバーで確認できる。

2 新規タブグループを作成する

空の新規タブグループ

タブグループに名前を付けて保存

サイドバー上部の「+」→「空の新規タブグループ」をタップし、「仕事」や「ニュース」などカテゴリ別のタブグループを作成しておこう。

3 タブを別のグループに移動する

タブをロングタップして「タブグループへ移動」をタップ

移動したいタブグループをタップ。一時的なブックマーク代わりにタブグループにまとめる使い方もおすすめ

開いているタブを別のグループに移動するには、タブをロングタップして「タブグループへ移動」をタップし、移動したいグループを選択。

4 複数のタブからグループを作成する

3個のタブから新規タブグループを作成

タブグループに名前を付けて保存

開いている複数のタブをまとめて新規タブグループにするには、サイドバーの「+」→「○個のタブから新規タブグループを作成」をタップ。

5 タブグループを切り替える

サイドバーでタブグループを選択

タブ一覧画面の右上にあるタブグループメニューから選択

タブグループの表示を切り替えるには、サイドバーからタブグループを選ぶか、タブ一覧の右上のメニューからタブグループを選択する。

6 タブグループの名前変更や削除

タブグループをロングタップしてメニューを表示。タブグループを削除すると、このグループで開いていたタブもすべて削除される

サイドバーでタブグループをロングタップするとメニューが表示され、タブグループの名前を変更したり削除を行える。

使いこなしヒント

リンクをドラッグして新しいウインドウで開く

リンクを新規タブではなく新規ウインドウで開くには、リンクをロングタップして、そのまま画面上部中央のマルチタスキングメニューボタン（「…」ボタン）へドラッグして指を離す。左右端にドラッグしてSplit ViewやSlide Overで開くこともできる

リンクをロングタップして浮いた状態になったらドラッグ

一定期間見なかったタブを自動で消去

開きっぱなしのタブを自動で閉じるには、「設定」→「Safari」→「タブを閉じる」をタップ。最近表示していないタブを1日後や1週間後、1か月後に閉じるよう設定できる。

タップ

タブバーの表示形式を変更する

タブの表示形式は「設定」→「Safari」で変更できる。「タブバーをコンパクトに表示」を選択すると、上部の検索フィールドとタブが一体化し、画面をより広く使える。

表示形式を選択

操作❹ | よく利用するサイトをブックマーク登録する

1 | 共有ボタンから「ブックマークを追加」をタップする

よく使うサイトは、素早くアクセスできるようブックマーク登録しておこう。まず、右上の共有ボタンから「ブックマークを追加」をタップ。

2 | 場所を指定して「保存」をタップする

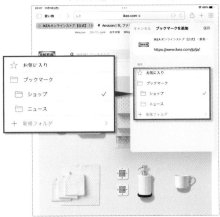

「場所」欄をタップすれば、ブックマークの保存先フォルダを変更できる。あとは右上の「保存」をタップすればブックマークへの登録は完了。

3 | ブックマークにアクセスする

サイドバーの「ブックマーク」をタップすると、追加したブックマーク一覧が表示され、タップするだけで素早くそのサイトにアクセスできる。

4 | ブックマークを編集する

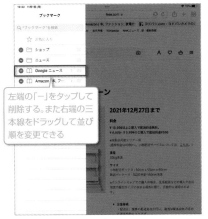

左端の「ー」をタップして削除する。また右端の三本線をドラッグして並び順を変更できる

右下の「編集」をタップすると編集モードになる。「ー」をタップでブックマークを削除。右端の三本線をドラッグして並び順を変更できる。

5 | 新規フォルダを作成する

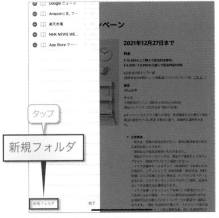

新規フォルダ

ブックマークをフォルダで分類したい場合は、編集モードにして、左下の「新規フォルダ」をタップ。新しいブックマークフォルダを作成できる。

6 | ブックマークをフォルダに移動する

タップして他のフォルダに変更

編集モードでブックマーク名をタップして、「場所」欄をタップすると、ブックマークの保存先を他のフォルダに変更することができる。

標準アプリ完全ガイド

SafariのブックマークをパソコンのChromeと同期する

使いこなしヒント

「Chrome ウェブストア」(https://chrome.google.com/webstore)にアクセスし、「拡張機能」から「iCloudブックマーク」を探して、「Chromeに追加」をクリック。拡張機能を追加しておく。

「Windows用iCloud」(https://support.apple.com/ja-jp/HT204283)をインストールし、iPadと同じApple IDでサインイン。「ブックマーク」にチェックして「Chrome」にチェックしたら、「適用」をクリックする。

☑ Chrome

Chromeの拡張機能のボタンをクリックすると、「ChromeブックマークはiCloudと同期しています。」と表示される。あとはiPadでSafariのブックマークを開けば、同期されたChromeのブックマークも一覧表示されるはずだ。

操作❺ | 履歴とプライバシーを管理する

1 | 「履歴」で過去に見た Webページを確認する

サイドバーの「履歴」をタップすると、過去に見たWebページが表示され、タップすればそのページにアクセスすることができる。

2 | 閲覧履歴を個別に消去する

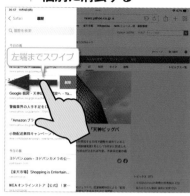

消去したい履歴を選んで、右から左端までスワイプすると、その履歴を個別に消去することができる。

3 | 一定期間の履歴とデータをまとめて消去する

履歴一覧の右下にある「消去」をタップすれば、履歴やCookieなどのデータを、直近1時間、今日、今日と昨日、すべてから選んで消去できる。

4 | 設定からすべての 履歴とデータを消去する

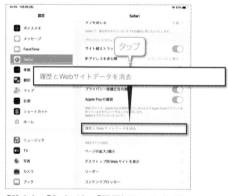

「設定」→「Safari」→「履歴とWebサイトデータを消去」をタップしても、すべての履歴やCookieなどのデータをまとめて消去できる。

5 | 誤って閉じた タブを復元する

ついさっき閉じたタブをもう一度見たい時は、「+」ボタンをロングタップして、最近閉じたタブから復元するのが早い。

6 | 閲覧履歴を残さない プライベートモードを使う

サイドバーの「プライベート」をタップすると、履歴を残さずにWebページを閲覧できる。通常モードに戻すには、「○○個のタブ」や他のタブグループに変更すればよい。

操作❻ | iPhoneで見ているタブをiPadでも確認、アクセスする

1 | iCloudの設定で 「Safari」をオンにしておく

iPad、iPhone両方のiCloud（P034で解説）の設定で「Safari」のスイッチをオンにしておく。これでタブやブックマーク、履歴などが同期される。

2 | スタートページで iPhoneのタブを確認

新規タブを開いたり、検索フィールドをタップしてスタートページを表示すると、一番下にiPhoneで開いているタブが一覧表示される。

3 | タブグループ内の タブは自動で同期

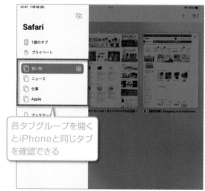

タブグループ内で開いているタブは自動的に同期されるので、iPhoneで開いているタブがiPadでも表示されている。

操作❼ | フォームへの自動入力機能を利用する

1 Safariの自動入力を有効にしておく

オンにしておく

「設定」→「Safari」→「自動入力」を開き、「連絡先の情報を使用」と「クレジットカード」のスイッチをオンにしておこう。

2 連絡先の情報を自動入力する

タップして連絡先を自動入力

名前や住所の入力フォームをタップすると、キーボード上部に候補が表示され、タップして入力できる。「連絡先を自動入力」をタップして他の候補も選択できる。

3 クレジットカード情報を自動入力する

タップしてカード情報を自動入力

クレジットカード番号の入力フォーム内をタップすると、キーボード上部に候補が表示され、タップして入力できる。「カード情報を自動入力」で他の候補も選択できる。

操作❽ | 機能拡張でSafariにさまざまな機能を追加する

1 機能拡張を入手する

「設定」→「Safari」→「機能拡張」→「機能拡張を追加」をタップ

App StoreのSafari機能拡張ページから機能拡張を入手する。インストール手順は通常のアプリと同じ

Safariでは「機能拡張」アプリを追加して、標準では用意されていない機能を利用できる。まずはApp StoreでSafari用の拡張機能を入手しよう。

2 拡張機能を有効にする

オンにする

機能拡張によっては設定の変更が必要なものもある

「設定」→「Safari」→「機能拡張」にインストール済みの機能拡張が表示されるので、スイッチをオンにして機能を有効にしよう。

3 Safariで機能拡張を利用する

タップしてインストール済みの機能拡張を利用する

機能拡張のオンオフを切り替える

検索フィールドの右側にある機能拡張ボタンをタップすると、インストールした機能拡張を利用したり、機能のオン／オフを切り替えできる。

デスクトップ版ではなくモバイル版の表示にする

iPadOSのSafariは標準ではデスクトップ版の表示になる。簡易的なモバイル向け表示に切り替えるには、「ぁあ」→「モバイル用Webサイトを表示」をタップすればよい。

タップしてモバイル版の表示に切り替え

スタートページを使いやすくカスタマイズする

Safariで新規タブを開いたり、検索フィールドをタップした際に表示されるスタートページは、表示項目を自分好みに編集できる。表示順の並べ替えや背景の変更も可能だ。

新規タブでスタートページを開き一番下の「編集」をタップ。表示させたい項目のスイッチをオンにする

リーディングリストを活用する

あとでゆっくり読みたいページは、共有ボタンから「リーディングリストに追加」をタップして保存しておこう。保存したページはオフラインでも読めるようになる。

タップして表示中のページを保存。保存したページは、サイドバーの「リーディングリスト」から開いてオフラインでも読める

メール

自宅や会社のメールもこれ一本でまとめて管理

まずは送受信したい
メールアカウントを追加していこう

iPadに標準搭載されている「メール」アプリは、自宅のプロバイダメールや会社のメール、iCloudメールやGmailなど、複数のメールアカウントを追加して、まとめて管理できる便利なアプリだ。複数のアカウントを追加していると、「メールボックス」画面にアカウントごとのメールボックスが作成されるほか、「全受信」メールボックスで

すべてのアカウントの受信メールをまとめて確認できるようになる。メールアカウントごとに通知方法を変更するといった設定も可能だ。まずは、普段利用しているメールアカウントをすべてメールアプリに追加しておこう。iCloudメールやGmailなどは、アカウントとパスワードを入力するだけで追加できる簡易メニューが用意されているが、自宅や会社のメールアカウントは手動で追加する必要がある。プロバイダや会社から指定されている、POP3サーバやSMTPサーバの情報を手元に用意して設定を進めよう。

使い始めPOINT!
「メール」アプリで送受信できるメールアカウント

メールアプリのアカウントは、「設定」→「メール」→「アカウント」→「アカウントを追加」から登録する。iCloudメールやGmailならアカウントとパスワードの入力で簡単に登録できるが、自宅や会社のメールは、「その他」でPOPやSMTPサーバ情報などを入力する必要がある。

「設定」→「メール」→「アカウント」→「アカウントを追加」をタップし、一番下にある「その他」をタップする。

「メールアカウントを追加」をタップする。あとは、下記の手順に従って、アカウントや送受信サーバの情報を入力しよう。

キャリアメールを
設定するには

Wi-Fi+CellularモデルのiPadであれば、@docomo.ne.jp、@au.com／@ezweb.ne.jp、@i.softbank.ne.jpなどのキャリアメールも、「メール」アプリで送受信することが可能だ。アカウントの登録方法はキャリアによって異なるが、基本的にはSafariでサポートページにアクセスし、設定用のプロファイルをインストールすればよい。初めてキャリアメールを利用する場合はランダムな英数字のメールアドレスが割り当てられるが、アカウントの設定時に好きなアドレスに変更できる。

操作❶ 自宅や会社のメールアカウントを登録する

1 メールアドレスと パスワードを入力する

上記「使い始めPOINT!」の手順を進めるとこの画面になる。自宅や会社のメールアドレス、パスワードなどを入力し、右上の「次へ」をタップ。

2 「POP」に変更して サーバ情報を入力

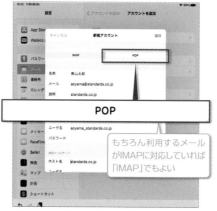

通常は上部のタブを「POP」に切り替え、プロバイダや会社から指定されている、POP3やSMTPサーバの情報を入力して、「保存」をタップする。

3 メールアカウントの 追加を確認

サーバとの通信が確認されると、元の「アカウント」設定画面に戻る。追加したメールアカウントがアカウント一覧に表示されていればOK。

操作❷ | 受信したメールを読む、返信する

1 | メールアプリをタップして起動する

アカウントの追加を済ませたら、ドックにある「メール」アプリを起動しよう。アイコンの右上にある①の数字(バッジ)は、未読メールの件数だ。

2 | メールボックスの表示と手動チェック

下にドラッグしてメールボックスを最新状態に更新する

左欄に受信トレイのメールが一覧表示される。メール一覧を下にドラッグすれば、手動で新着メールをチェックできる。

💡 使いこなしヒント

他のアカウントのメールをチェックするには

「全受信」およびアカウントごとの受信トレイを切り替える

複数のメールアカウントを追加している場合、左上の「メールボックス」(またはアカウント名)をタップすれば、メールボックス一覧画面に戻り、他のアカウントに切り替えできる。「全受信」はすべてのアカウントの受信メールをまとめて表示する受信トレイだ。

3 | メールの本文を開いて読む

リンクをタップすれば関連アプリが起動する

件名をタップするとメール本文が表示される。住所や電話番号はリンク表示になり、タップするとマップが起動したり、FaceTimeを発信できる。

4 | 返信・転送メールを作成するには

タップ

右下の矢印ボタンをタップすると、「返信」「全員に返信」「転送」メールを作成できる。フラグやミュートの設定も可能だ。

5 | メールに添付されたファイルを開く

ロングタップ

添付画像をロングタップすれば保存や共有が可能だ。オフィス文書やPDFの場合は、ファイル名をタップすればプレビュー表示できる。

標準アプリ完全ガイド

💡 使いこなしヒント

重要なメールは「フラグ」を付けて整理

重要なメールは、右下の返信ボタンから「フラグ」をタップし、好きなカラーのフラグを付けておこう。メールボックスの「フラグ付き」でフラグ付きメールのみ一覧表示できる。

タップ

大量の未読メールをまとめて既読にする

メール一覧画面の上部にある「編集」→「すべてを選択」をタップし、続けて下部の「マーク」→「開封済みにする」をタップすれば、未読メールをまとめて既読にできる。

受信トレイでメールの一覧を2本指でスワイプして複数メールを選択し、「マーク」→「開封済みにする」を選択してもよい

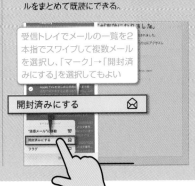

開封済みにする ✉

メールを左右にスワイプして操作する

メール一覧画面でスレッドを左右にスワイプすると、「開封」(または「未開封」)や「ゴミ箱」などの操作を行える。メールを開いた状態でも、左右にスワイプで操作メニューが表示される。

スワイプ

操作❸ | 新規メールを作成、送信する

1 | 新規メール作成ボタンをタップする

このボタンをタップして新規メールを作成する

新規メールを作成するには、メール本文画面の右上にあるボタンをタップしよう。メールの作成画面が開く。

2 | 宛先を入力、または候補から選択する

名前やアドレスを入力

タップして候補から選択

「宛先」欄にアドレスを入力する。または、名前やアドレスの一部を入力すると、連絡先から候補が表示されるので、これをタップして宛先に追加する。

3 | 複数の相手に同じメールを送信する

複数の宛先を指定

宛先を入力してリターンキーをタップすると、自動的に宛先が区切られて、複数の宛先を追加入力することができる。

4 | 宛先にCc／Bcc欄を追加する

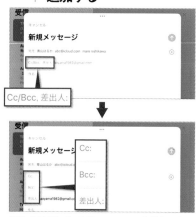

Cc/Bcc, 差出人:

Cc:
Bcc:
差出人:

複数の相手にCcやBccでメールを送信したい場合は、宛先欄の下「Cc/Bcc,差出人」欄をタップすれば、Cc、Bcc、差出人欄が個別に開く。

5 | 差出人アドレスを変更する

差出人アドレスを選択

差出人: aoyama1982@gmail.com
件名: ✓ aoyama1982@gmail.com
aoyama@standards.co.jp

複数アカウントを追加しており、差出人アドレスを変更したい場合は、「差出人」欄をタップし、差出人アドレスを選択すればよい。

6 | 件名、本文を入力して送信する

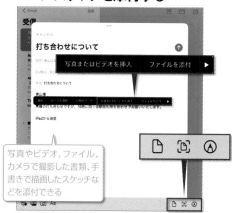

タップして送信

宛先と差出人を設定したら、あとは件名と本文を入力して、右上の送信ボタンをタップすれば、メールを送信できる。

7 | 作成中のメールを下書き保存する

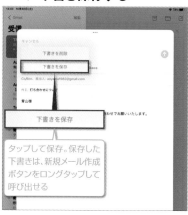

タップして保存。保存した下書きは、新規メール作成ボタンをロングタップして呼び出せる

左上の「キャンセル」→「下書きを保存」で作成中のメールを下書き保存できる。下書きメールを開くには新規メール作成ボタンをロングタップ。

8 | 写真やファイル、手書きスケッチを添付する

写真やビデオ、ファイル、カメラで撮影した書類、手書きで描画したスケッチなどを添付できる

本文内のカーソル上をタップすると表示されるメニューや、キーボード上のショートカットボタンから、さまざまなファイルを添付できる。

9 | 大きなサイズのファイルを送信する

Mail Dropを使用

タップすると添付ファイルは一時的にiCloud上にアップされ、そのダウンロードリンクを相手に送る。送られた相手はリンクをタップするとファイルをダウンロードできる。リンクの有効期間は30日

添付ファイルが大きすぎる場合は、送信時に表示される「Mail Dropを使用」をタップすることで、iCloud経由で送信することができる。

操作❹ 複数アカウントを効率よく管理する

1 アカウントごとに 通知を設定する

「設定」→「通知」→「メール」→「通知をカスタマイズ」をタップすると、アカウントごとに、通知の有無やサウンドの指定、バッジ表示の有無を変更できる

複数のメールアカウントを追加している場合は、アカウントごとに通知をオン／オフしたり、通知音を変更できる。重要な仕事用メールはすべての通知方法をオンにしておき、個人用メールはバッジのみにしておくなどして使い分けよう。

2 アカウント別に ウィジェットを配置

メールウィジェットをロングタップして「ウィジェットを編集」をタップすると、表示するメールボックスを自由に変更できる。もちろん「全受信」のメールボックスも設定できる

メールのウィジェットは、どのメールボックスを表示するか自由に編集できる。メールアカウントを複数追加している場合は、それぞれのアカウントごとの受信ボックスを表示させておくのがおすすめだ。

3 ウィジェットは スタックしておく

ウィジェット内を上下にスワイプすると、表示するアカウントを切り替えて、それぞれの新着メールを素早く確認できる

アカウントごとのウィジェットをホーム画面に並べるとスペースを取るので、重ね合わせてスタックしておこう。ウィジェット内を上下にスワイプすれば表示が切り替わり、それぞれの新着メールを素早く確認できる。

操作❺ Gmailのメールアカウントを追加する

1 「アカウントを追加」→ 「Google」をタップ

Gmailアカウントを追加するには、「設定」→「メール」→「アカウント」→「アカウントを追加」で、「Google」をタップする。

2 Gmailアカウントで ログインする

Googleアカウント（Gmailアドレス）を入力して「次へ」をタップし、続けてパスワードを入力して「次へ」をタップしていく。

3 「メール」のオンを確認して 「保存」をタップ

「設定」→「パスワードとアカウント」→「Gmail」で「メール」のスイッチがオンになっていることを確認

「メール」がオンになっているのを確認して「保存」をタップしよう。連絡先やカレンダーも同期されるが、不要ならスイッチをオフにすればよい。

フィルタ機能で メールを絞り込む

メール一覧画面で左下のフィルタボタンをタップすると、「未開封」などの条件で表示メールを絞り込める。フィルタ条件を変更するには「適用中のフィルタ」をタップ。

タップしてフィルタ条件を変更

適用中のフィルタ:
未開封

重要な相手のメールを 自動的に振り分ける

仕事先など重要な連絡先を「VIP」に登録しておけば、メールが自動的に「VIP」フォルダに振り分けられる。VIPのみ通知するといった設定も可能だ。

メールボックス一覧の「VIP」（VIPリストを作成済みなら「i」ボタン）をタップ。「VIPを追加」で連絡先を選択する

メールに 自動的に署名を付ける

メール作成時に本文に挿入される「iPadから送信」という署名は、「設定」→「メール」→「署名」で変更できる。アカウントごとに個別の署名を設定可能だ。

チェックすると個別に署名を設定できる

標準アプリ完全ガイド

061

メッセージ

iPad同士やiPhone、Macとやり取りできる「iMessage」用アプリ

iPadでは「iMessage」のみ利用できる

「メッセージ」は、やり取りが会話形式で表示されるチャットのようなアプリだ。iPhoneでこのアプリを使うと、電話番号を宛先にしてやり取りする「SMS」や、キャリアメール（@au.comや@ezweb.ne.jp、@softbank.ne.jp）を宛先にやり取りする「MMS」、iOSデバイスやMac同士でのみやり取りできる「iMessage」の、3種類の

サービスを宛先から判断して自動で切り替えて利用できる。

しかしiPadの場合は仕様上、Wi-Fi+CellularモデルであってもSMSとMMSを利用できない。基本的にiMessage専用のアプリなのだ（ただし、下記の通り、iPhoneがあればSMSやMMSを転送してiPadで送受信することもできる）。またiPhoneやMacでやり取りしたメッセージの内容を、iPadのメッセージアプリでも確認できるように同期したいなら、それぞれのデバイスでiCloudの「メッセージ」をオンにしておこう。

使い始めPOINT! 「メッセージ」の基本を理解する

iPadのメッセージアプリは基本的に、iPadやiPhone、Macユーザーとだけメッセージをやり取りできる「iMessage」しか使えない。宛先は、相手がiMessageの送受信アドレスとして設定しているメールアドレスかiPhoneの電話番号となる。iMessage用のアドレスかどうかは、入力した宛先の文字色で判別できる。

送信できる宛先の確認方法

青文字は送信可能

: 青山はるか ← 宛先に入力したアドレスや名前が青文字なら、iMessageで送信可能なアドレス

赤文字は送信できない

: 赤木太一 ← 宛先に入力したアドレスや名前が赤文字なら、iMessageで送信できないアドレス

iPhoneとメッセージを同期しSMSやMMSも送受信可能にする

「設定」一番上のApple IDを開き、「iCloud」→「メッセージ」のスイッチをオンにしておくと、同様に「メッセージ」のスイッチをオンにしたiPhoneとiCloudで同期して、まったく同じ内容のメッセージ送受信画面が表示される（P034で解説）。iPhoneに届いたSMSやMMSのメッセージも同期されるが、iPadからSMSやMMSを送信することはできない。iPhoneで「設定」→「メッセージ」→「SMS/MMS転送」を開き、iPad名のスイッチをオンにすれば、iPadからもSMSやMMSのアドレスを宛先に送信可能になり、Androidスマートフォンともやり取りできるようになる。これはiPhoneを経由してSMSやMMSを転送するための機能なので、iPadから送っても送信元はiPhoneの電話番号になる点に注意しよう。

操作❶ | iMessageを利用可能な状態にする

1 | Apple IDでサインインを済ませる

Apple IDを入力してサインイン

「iMessage」の利用にはApple IDが必須だ。「設定」→「メッセージ」でApple IDを入力しサインインすれば、iMessageが有効になる。

2 | 送受信アドレスを確認、選択する

送受信　4件のアドレス >

メッセージの送受信アドレスは、「設定」→「メッセージ」→「送受信」で確認、選択できる。送受信に使いたいものだけチェックしておこう。

3 | 他の送受信アドレスを追加する

メールまたは電話番号を追加

連絡先欄の「編集」をタップして、「メールまたは電話番号を追加」をタップすれば、新しいアドレスを追加できる

Apple ID以外の送受信アドレスは、「設定」の一番上にあるApple IDを開き、「名前、電話番号、メール」→「編集」をタップして追加する。

操作② 「メッセージ」アプリでiMessageをやり取りする

1 iMessageの宛先を確認して送信する

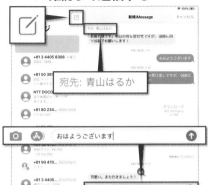

左欄上部のボタンをタップすると新規メッセージの作成画面が開く。宛先欄に宛先を入力（iMessage用の青文字になっていることを確認）し、メッセージを入力して「↑」ボタンで送信できる。

2 メッセージで写真やビデオを送信する

下部メニューバーの写真ボタンをタップすると、端末内の写真やビデオを選択して送信できる。またカメラボタンをタップすれば、写真やビデオを撮影して送信できる。

3 ステッカーでキャラクターやイラストを送信する

下部メニューバーのAppストアボタンから「ステッカー」を入手すれば、LINEの「スタンプ」と同じようなイラストやアニメーションを送信できる。

4 メッセージに動きやエフェクトを加えて送信

送信（「↑」）ボタンをロングタップすれば、吹き出しや背景にさまざまな特殊効果を追加する、メッセージエフェクトを利用できる。

5 3人上のグループでメッセージをやり取り

宛先欄に複数の連絡先を入力すれば、自動的にグループメッセージが開始され、ひとつの画面内で複数人と会話できるようになる。

6 特定のメッセージに返信する

メッセージをロングタップして「返信」をタップすると、元のメッセージと返信メッセージがまとめて表示され、話の流れが分かりやすい。

7 よくやり取りする相手を上部に配置する

よくやり取りする相手やグループは、スレッドを右にスワイプしてピンマークをタップすると、リスト上部にアイコンで配置できる。

8 ミー文字を利用する

Face ID対応のiPad Proなら、自分の声と表情に合わせて動く「ミー文字」でメッセージを送信できる。「ミー文字」ボタンをタップして顔をカメラに向け、右下の録画ボタンをタップすれば録画できる。

9 「あなたと共有」を利用する

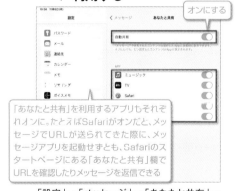

「設定」→「メッセージ」→「あなたと共有」→「自動共有」をオンにすると、メッセージアプリでURLや写真、音楽などが送られてきた際に、それぞれ対応するアプリ内の「あなたと共有」セクションで確認できる。

FaceTime

さまざまなデバイスと無料でビデオ通話や音声通話ができる

高品質なビデオ通話や音声通話を無料で楽しめる

「FaceTime」は、ビデオ通話や音声通話を行えるアプリだ。従来はAppleデバイス同士でしか通話できなかったが、iPadOS 15ではWebブラウザ経由でWindowsやAndroidユーザーとも通話でき（P093で解説）、オンラインミーティングなどに活用しやすくなっている。通話はAppleのサーバーを介して行われ、通話料も一切かから

ない。映像や音声も高品質で、他の無料通話アプリ以上の快適さを体験できる。もちろん、Wi-Fi + Cellularモデルなら、モバイルデータ通信を使って外出先でも通話可能だ。Appleデバイス同士で通話する際の宛先は、Apple IDのアドレスや、iPhoneの電話番号、またはApple IDと関連付けたメールアドレスになる。また、iPadOS 15で新たに搭載された「SharePlay」（P092で解説）を使えば、FaceTimeで通話している相手と同じビデオや音楽を一緒に楽しむことができる。Webサイトなどの画面を共有することも可能だ。

使い始め POINT! 「FaceTime」の基本を理解する

FaceTimeを起動すると、「新しいFaceTime」と「リンクを作成」という2つのボタンが用意されている。Appleデバイス同士で通話するなら、「新しいFaceTime」をタップして宛先を入力しよう。右で解説している通り、青文字で表示される宛先なら、FaceTimeの着信用に設定されているApple IDやiPhoneの電話番号だ。その相手はAppleデバイスなので、お互いにFaceTimeアプリを使った通話ができる。通話画面の操作や主な機能はここで解説する。WindowsやAndroidユーザーと通話したい場合は、「リンクを作成」をタップして招待リンクを送ろう（P093で解説）。相手はWebブラウザを使って、ログイン不要で通話に参加できる。ただし、ミー文字やSharePlayなど一部の機能は利用できない。

FaceTimeで通話する2つの方法

相手がAppleデバイスなら、「新しいFaceTime」で発信すると、すべての機能を使って通話できる。WindowsやAndroidユーザーと通話するなら「リンクを作成」でリンクを送信。

「新しいFaceTime」で通話できる相手

青文字なら通話可能

「新しいFaceTime」をタップして、宛先欄に名前やアドレス、電話番号を入力してみよう。青文字で表示される宛先なら、相手もAppleデバイスだ。お互いFaceTimeアプリで通話できる。

操作❶ FaceTimeを利用可能な状態にする

1 Apple IDでサインインする

Apple IDを入力してサインイン

「設定」→「FaceTime」でApple IDを入力してサインインすれば、iPadでFaceTimeを利用できるようになる。

2 送受信アドレスを確認、選択する

FaceTimeの発着信に使うアドレスにチェック。他のアドレスの追加は、メッセージの送受信アドレス追加と同様に（P062で解説）、Apple IDの設定画面で行う

「FACETIME着信用の連絡先情報」で着信用のアドレスを選択し、「発信者番号」で相手に通知する自分のアドレスを選択しておこう。

使いこなしヒント

iPhoneとiPadで同じApple IDを使う場合

iPad側はオフにしておく

または、iPhoneと異なる発着信アドレスにチェックしておく

iPhoneとiPadのFaceTimeに同じApple IDを使っていると、両方の端末で同時に着信してしまう。これを防ぐには、iPadのFaceTimeをオフにしてしまうか、またはiPhoneとは別のメールアドレスを、iPadのFaceTime発着信アドレスに設定すればよい。

操作❷ | FaceTimeを発信／応答する

1 | FaceTimeを発信する

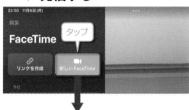

タップ

宛先を入力し、音声または
ビデオ通話ボタンで発信

Appleデバイス同士で通話するには、「新しい
FaceTime」をタップして宛先を入力。受話器ボ
タンで音声通話を、「FaceTime」ボタンでビデ
オ通話を発信できる。

2 | FaceTimeに応答する

ロック画面の場合、電源ボタン
を2回押して応答拒否

ロック画面の場合、右方向にドラッグすれ
ば応答。iPad使用中に着信した場合は、
緑のボタンをタップして応答でき、赤い
ボタンをタップして応答を拒否できる

ロック中にかかってきたFaceTime通話は、受
話器ボタンを右にドラッグして応答。応答を拒否
したい場合は、電源ボタンを2回押す。

3 | FaceTimeビデオの通話中の操作

「終了」で通話終了。下部のボタンは、
左からメッセージ送信、スピーカー、
ミュート、カメラオフ、画面共有

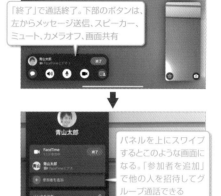

パネルを上にスワイプ
するとこのような画面に
なる。「参加者を追加」
で他の人を招待してグル
ープ通話できる

FaceTimeビデオの通話中は、左下のパネルで
ミュートやカメラオフの操作を行える。パネルを
上に引き出すと、参加者の追加なども可能。

4 | 自分のタイルで行える操作

タップすると背景
をぼかす

エフェクトボタン。
ミー文字やステッ
カーを利用できる

右下には自分が映ったタイルが表示される。タッ
プすると、左上のボタンで背景をぼかしたり、左
下のボタンでミー文字などを使える。

5 | 応答できない時の対処法

「メッセージを送信」をタップ
すると、応答できない理由を
iMessageで送信できる。定
型文は「設定」→「FaceTime」
→「テキストメッセージで返信」
で編集可能

「あとで通知」をタップすると、
「ここを出るとき」や「1時間
後」に通知するよう、リマイン
ダーに登録できる

かかってきたFaceTime通話に出られないとき
は、「あとで通知」でリマインダーに登録したり、
「メッセージを送信」で定型文を送信できる。

6 | ピクチャインピクチャで通話する

FaceTimeの画面が
小さくなり、他のアプリ
を同時に操作できる

FaceTimeビデオの通話中にホーム画面などに
戻っても、「ピクチャインピクチャ」機能によって
画面が縮小表示され通話を継続できる。

使いこなしヒント

グループでFaceTime通話を行う

FaceTime通話中に左下のパネルを上にスワ
イプし、続けて「参加者を追加」をタップすると、
このFaceTime通話に他の参加者を追加でき
る。最大32人で同時に通話でき、現在発言中
のメンバーを自動的に前面に出して表示を強
調するといった機能も備えている。

音楽や動画を一緒に楽しむ

FaceTime通話中に、「SharePlay」に対応す
るアプリで動画や音楽などを再生すると、通話
中のメンバー全員で一緒に楽しむことができる。
また画面を共有して、通話中の相手にアプリの
操作やWebページを見せることもできる。詳し
くはP092で解説する。

WindowsやAndroidとも通話する

FaceTimeで通話したい相手がWindowsや
Androidユーザーなら、「リンクを作成」をタッ
プし、メールやメッセージで招待リンクを送信
する。相手はWebブラウザで受け取ったリンク
にアクセスすると通話に参加できる。詳しくは
P093で解説する。

名前を入力して「続ける」
→「参加」で参加できる

連絡先

友人や取引先のメールアドレスや住所を管理

iPhoneやAndroidスマートフォンからの連絡先同期は簡単

iPadで連絡先を管理するには、「連絡先」アプリを利用する。別の端末に保存された連絡先を利用したい場合、その端末がiPhoneやiPadであれば、同じApple IDでiCloudにサインインして、「連絡先」をオンにするだけで、簡単に連絡先を同期できる。また、同期元がAndroidスマートフォンであっても、iCloudの代わりにGoogleアカウントを追加して、「連絡先」をオンにするだけで、連絡先を同期可能だ。

なお、連絡先アプリで新規連絡先を作成したり編集、削除することは可能だが、グループの作成と振り分け、削除した連絡先の復元などは、WebブラウザでiCloud.com（https://www.icloud.com/）にアクセスして操作する必要がある。複数の連絡先をまとめて編集したり削除するのもWebブラウザでの操作がスムーズ。そのほか、「自分の情報」の設定や、連絡先を友人に送る方法、重複した連絡先の結合といった操作も覚えておこう。

使い始めPOINT! 他の端末に保存されている連絡先を同期する

iPhoneやiPadから連絡先を同期

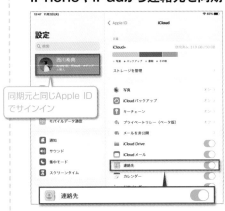

連絡先の同期元がiPhoneやiPadであれば、まず同期元の機種で「設定」画面の一番上のApple IDをタップし、「iCloud」をタップ。続けて「連絡先」をオンにしておく。あとは、同期先のiPadでも同じApple IDでサインインを済ませ、設定のApple ID画面を開いて「iCloud」→「連絡先」をオンにすれば、同期元と同じ連絡先を利用できる。なお、両端末でデータが同期されるので、連絡先の追加や削除も相互に反映される。

Androidから連絡先を同期

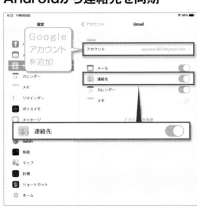

同期元がAndroidスマートフォンなら、連絡先はGoogleアカウントに保存されているはずだ。同期先のiPadで「設定」→「連絡先」→「アカウント」→「アカウントを追加」→「Google」をタップし、Googleアカウントを追加。「連絡先」をオンにすれば、連絡先アプリに情報が同期される。もちろん、連絡先の追加や削除も相互に反映される。

操作❶ 新しい連絡先を作成する

1 新規連絡先を作成する

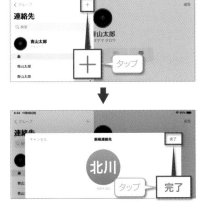

新しい連絡先を作成するには画面上部の「+」をタップ。名前や電話番号を入力し、最後に「完了」をタップすれば保存できる。

2 複数の電話やメールを追加する

「電話を追加」や「メールを追加」で複数のメールアドレスを追加できる。また「自宅」や「勤務先」などのラベルも変更できる。

使いこなしヒント

iCloud.comで連絡先を編集する

パソコンのWebブラウザでiCloud.com（https://www.icloud.com/）にアクセスし、iPadと同じApple IDでサインインして「連絡先」をクリックすれば、連絡先を効率的に作成、編集できる。iPadのSafariでも連絡先の編集や新規グループ作成はできるが、複数の連絡先をまとめて操作するには外付けキーボードやマウスが必要。

操作❷ | 連絡先を編集、削除、復元する

1 | 登録済みの連絡先を編集する

登録済みの連絡先を編集したい場合は、連絡先の詳細画面を開いて、右上の「編集」をタップすればよい。編集モードになり、内容を変更できる。

2 | 不要な連絡先を削除する

編集モードの画面を一番下までスクロールして「連絡先を削除」→「連絡先を削除」をタップすれば、この連絡先を削除できる。

3 | 削除した連絡先を復元する

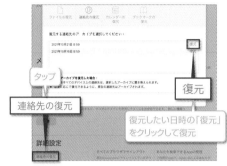

誤って削除した連絡先を復元するには、Safariやパソコンのwebブラウザで iCloud.com にアクセスし、「アカウント設定」をクリック。続けて「連絡先の復元」をクリックし、復元したい日時の「復元」をクリックしよう。

操作❸ | その他の便利な機能と設定

連絡先で「自分の情報」を設定する

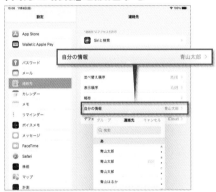

「設定」→「連絡先」→「自分の情報」で自分の連絡先を指定しておけば、連絡先の最上部に、「自分のカード」として自分の連絡先が表示される。

連絡先を他のユーザーに送信する

送信したい連絡先の詳細を開き、「連絡先を送信」をタップ。メールやメッセージなどさまざまな手段で連絡先情報を送信できる。近くにいる、iPhone、iPad、Macユーザーへは AirDrop（P099で解説）を使うと手っ取り早い。

重複した連絡先を結合する

連絡先が重複している場合は、ひとつを選んで「編集」→「連絡先をリンク」をタップ。重複した連絡先を選択して「リンク」をタップすれば結合できる。

連絡先ごとに着信音を設定する

連絡先の「編集」をタップし、「着信音」でFaceTime通話の着信音、「メッセージ」でメッセージの通知音を個別に設定できる。

連絡先のデフォルトの保存先を変更する

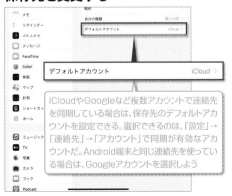

「設定」→「連絡先」で「デフォルトアカウント」をタップすると、新規連絡先を作成した場合の、デフォルトの保存先アカウントを変更できる。

使いこなしヒント

共有メニューに連絡先が表示されるのを防ぐ

あまり使わない連絡先は、ロングタップして「おすすめを減らす」で非表示にできる。おすすめの連絡先欄の表示自体が不要なら、「設定」→「Siriと検索」→「共有中に表示」をオフにしよう

アプリの共有ボタンをタップすると、以前にメッセージやLINE、AirDropなどでやり取りした相手とアプリが、おすすめの連絡先として表示される。いつも連絡する相手が決まっているなら便利だが、あまり使わない連絡先が表示されると誤タップの危険もある。不要なら非表示にしておこう。

App Store
さまざまな機能を備えたアプリを手に入れる

便利なアプリを iPadに追加しよう

iPadでは、標準でインストールされているアプリを使う以外にも、この「App Store」アプリから世界中で開発されたアプリを探してインストールすることができる。App Storeには膨大な数のアプリが公開されており、漠然と探してもなかなか目的のアプリは見つからないので、「Today」「ゲーム」「App」メニューやキーワード検索を使

い分けて、欲しい機能を備えたアプリを見つけ出そう。なお、App Storeを利用するにはApple IDが必要なので、App Storeアプリ右上のユーザーボタンをタップし、あらかじめサインインを済ませておこう。また有料アプリを購入するには、クレジットカードか、家電量販店やコンビニで購入できる「Apple Gift Card」が必要。一度購入したアプリはApple IDに履歴が残っているので、iPadからアプリを削除しても無料で再インストールできるほか、同じApple IDを使うiPhoneなどにインストールすることも可能だ。

使い始め POINT! 欲しいアプリを探し出そう

各メニューから探す

ランキングから探したい場合は、「App」タブで「トップ有料」や「トップ無料」の「すべて表示」をタップ

すべて表示

下部の「Today」「ゲーム」「App」メニューで、カテゴリ別やランキング順に探そう。「Arcade」タブで配信されているゲームは、月額600円で遊び放題になる。

キーワード検索で探す

キーワードを入力

アプリ名が分かっていたり、欲しい機能を持ったアプリを探したい場合は、「検索」メニューでキーワード検索する。よく検索される人気アプリ名も候補に表示される。

キーワード検索のコツ

複数ワードで絞り込む。また、英語で検索すると、新たな優良アプリに出会えることもある

「写真　加工」や「ノート　手書き」など複数のワードで絞り込み検索を行うと目当てのアプリにたどり着きやすい。

アプリの評価をチェック

目安として評価の件数と点数の両方高いものが人気のアプリだ

アプリ名をタップして詳細を開き、「評価とレビュー」欄の「すべての表示」をタップしよう。他のユーザーが投稿した、このアプリの評価とレビューを確認できる。

操作❶ アプリをインストールする

1 アプリを選び インストールボタンをタップする

検索したアプリを選択し、表示されているインストールボタンが「入手」なら無料アプリだ。タップしてApple IDの認証を済ませ、インストールを進めよう。

検索したアプリを選択し、表示されているボタンが価格表示なら有料アプリだ。タップしてApple IDの認証を済ませ、インストールを進めよう。

2 承認を済ませて インストールする

Face ID搭載機種は電源／スリープボタンをダブルクリックして顔認証する。Touch ID搭載機種はホームボタンや電源／スリープボタンで指紋認証する。顔認証や指紋認証での購入設定がオフの場合は（P069の使いこなしヒントで解説）、Apple IDのパスワード入力が求められる

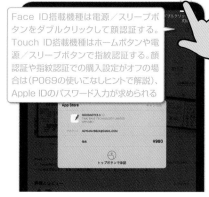

このような確認画面が表示されたら、電源／スリープボタンをダブルクリックして顔認証するか、ホームボタンなどで指紋認証を済ませると、インストールが開始される。

操作② | 支払い情報の登録と支払い方法の変更

1 | 有料アプリの購入は 支払い情報が必要

タップ

クレジットカードなどの支払い情報を追加

有料アプリの購入時にまだ支払い情報を登録していない場合は、「続ける」をタップして、クレジットカード情報などを入力し購入処理を行おう。

2 | 購入済みアプリは無料で 再インストールできる

このボタンをタップして再インストール

一度購入したアプリは、削除しても無料で再インストールが可能だ。App Storeでアプリを検索し、クラウドボタンをタップすれば再インストールされる。

使いこなしヒント

App Storeの購入を顔や指紋で認証する

「設定」→「Face（Touch）IDとパスコード」で「iTunes StoreとApp Store」のスイッチをオンにしておけば、App StoreおよびiTunes Store（P082で解説）でアプリやコンテンツを購入する際に、パスワード入力を省いて顔認証や指紋認証だけで購入できるようになる。

3 | Appleのギフトカード を支払いに利用する

Apple Gift Card裏面のコードをカメラで読み取るか、キーボードで入力する

コードを使う

コンビニなどで購入できる「Apple Gift Card」で支払いを行うには、「App」画面などの下部にある「コードを使う」からチャージすればよい。

4 | 支払いに使う クレジットカードを変更

タップ

お支払い方法を管理

画面右上のユーザーボタンをタップし、続けてApple IDをタップしてサインイン。「お支払い方法を管理」から支払いに使うカード情報を変更できる。

5 | 通信料と合わせて 支払う「キャリア決済」

キャリア決済

支払情報の変更画面で「キャリア決済」にチェックすれば、App StoreやiTunes Storeの料金を毎月の通信料と合算して支払える。

操作③ | アプリをアップデートする

1 | アプリの更新が ないか確認する

アップデート可能なアプリの数がバッジで表示される。なお、自動アップデートを有効にしていると（右の使いこなしヒントで解説）、アップデートがある場合でもバッジは表示されない

App Storeアプリにバッジが表示されたら、更新可能なインストール済みアプリがある合図。タップしてApp Storeを起動しよう。

2 | アプリを手動で アップデートする

「すべてをアップデート」でまとめてアップデートできる。各アプリの「アップデート」ボタンで個別にアップデートすることも可能

ユーザーボタンをタップしてアカウント画面を開くと、利用可能なアップデート一覧が表示され、手動でアプリを更新できる。

使いこなしヒント

アプリを自動で アップデートする

Appのアップデート

「設定」→「App Store」で、「Appのアップデート」をオンにしていれば、アプリの更新があった際は自動的にアップデートされる。モバイルデータ通信欄の「自動ダウンロード」をオンにすれば、モバイルデータ通信時にもアプリが自動更新される。

標準アプリ完全ガイド

カメラ

カメラの基本操作と撮影テクニックを覚えよう

シャッターを押すだけで
最適な設定で撮影できる

iPadで写真やビデオを撮影するには、標準の「カメラ」アプリを使おう。カメラを起動すると、自動的にピントや露出が調整されるので、あとはシャッターボタンをタップするだけで、何もしなくても明るく美しい写真を撮影できる。うまくピントが合わなかったり、別の被写体に合わせたい時は、画面内をタップしてみよう。タップした位置に

ピントと露出を合わせて撮影できる。また右側のメニューで撮影モードを切り替えて、ビデオやスクエア写真、パノラマ写真を撮影できるほか、一定間隔ごとに撮影した写真をつなげてコマ送りビデオを作成する「タイムラプス」や、動画の途中をスローモーション再生にできる「スローモーション」、背景をぼかして撮影する「ポートレート」（iPad Pro 11インチと12.9インチ（第3世代以降）のフロントカメラのみ対応）など、一風変わった写真や動画も撮影できる。カメラでQRコードを読み取ることも可能だ。

使い始めPOINT! カメラの画面構成と基本操作方法

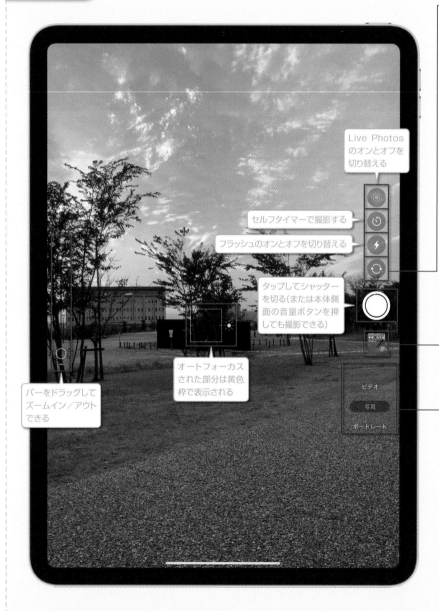

Live Photos
のオンとオフを
切り替える

セルフタイマーで撮影する

フラッシュのオンとオフを切り替える

タップしてシャッター
を切る（または本体側
面の音量ボタンを押
しても撮影できる）

オートフォーカス
された部分は黄色
枠で表示される

バーをドラッグして
ズームイン／アウト
できる

ビデオ

写真

ポートレート

フロントカメラへ切り替える

このボタンをタップ
すれば、バックカメ
ラとフロントカメラ
を切り替えできる。
フロントカメラでは、
「スロー」「パノラ
マ」モードでの撮影
は行えない。

撮影した写真を確認する

タップすると、直前
に撮影した写真のプ
レビューが表示され
る。プレビュー画面
では、右上の「すべ
ての写真」をタップ
すると写真アプリが
起動し、他の写真や
ビデオを確認できる。

**他の撮影モードに
切り替える**

撮影モード欄を上下
にスワイプすれば、
「ビデオ」や「タイム
ラプス」、「スロー
モーション」に切り
替えできる。ビデオ
撮影モードの場合
は、赤丸ボタンを
タップして録画を開
始、もう一度タップ
で録画を停止する。

操作❶ | さまざまな撮影モード、機能を利用する

1 | セルフタイマーで 3秒／10秒後に撮影する

タップしてタイマー設定 / 10秒

タイマーを3秒または10秒に設定すれば、カウント終了後に撮影される。「バーストモード」対応機種なら秒間10枚で高速連写される。

2 | タイムラプスで コマ送り動画を撮影する

タップして録画開始／停止

「タイムラプス」モードで撮影すると、一定間隔ごとに静止画を撮影し、それをつなげてコマ送りビデオを作成できる。

3 | 指定したシーンだけを スローモーションにする

編集

ドラッグでスローモーション再生箇所を変更

「スローモーション」で撮影した動画は、写真アプリを開いて「編集」ボタンをタップし、下部のバーでスローモーション再生にする箇所を変更できる。

4 | シャッターを タップし続けて連写する

バーストモードで撮影した連続写真は、写真アプリの「バースト」アルバムにまとめて保存される

シャッターボタンをタップし続ければ連写できる。「バーストモード」対応機種であれば、1秒間に10枚の高速連写が可能だ。

5 | ロック画面から 即座にカメラを起動する

左にスワイプ

または、コントロールセンターを開きカメラボタンをタップ

ロック画面からすぐにカメラを起動したい場合は、ロック画面を左にスワイプするか、またはコントロールセンターでカメラボタンをタップする。

6 | Live Photosで 前後3秒の動画を保存

タップしてオンにする

「Live Photos」をオンにして撮影すると、前後3秒の動画が保存される。写真アプリで撮影した写真をロングタップすると動画が再生される。

7 | ピントや露出を 手動で合わせる

上下にドラッグで露出を補正

画面内をタップしてピントを合わせ、右の太陽マークを上下にドラッグすると、画面を明るく／暗くして露出補正できる。

8 | ポートレートモードで 背景をぼかして撮影

被写界深度(F値)を変更
照明エフェクトを変更

iPad Pro11インチと12.9インチ(第3世代以降)のフロントカメラのみ、「ポートレート」モードで、背景をぼかした写真を撮影できる。

💡 使いこなしヒント

写真やビデオの 保存形式を変更する

「設定」→「カメラ」→「フォーマット」で「互換性優先」にチェックすれば、古いパソコンでも表示できるJPEGやH.264形式で保存される

現行モデルのiPadで撮影した写真やビデオは、HEIFやHEVCという比較的新しい形式で保存されるため、古いパソコンなどでうまく表示できない事がある。家族や友人によく写真を送る人は、「互換性優先」で保存した方がトラブルは少ない。

標準アプリ完全ガイド

写真

撮影した写真やビデオを管理する

写真やビデオを編集したり iCloudに自動アップロードできる

iPadで撮影した写真やビデオは、すべて「写真」アプリに保存される。写真を見たりビデオを再生できるのはもちろん、アルバムで整理したり編集を加えたりもできる。また「iCloud写真」を有効にしておくと、写真やビデオはすべてiCloudへ自動でアップロードされる。元のデータがiCloudにあるので、iPhoneやパソコンからも同じ写真ライブラリを表示できるし、iPadが故障しても思い出の写真が消える心配もない。ただし、iCloud側にもiPadのライブラリのすべてを保存できる容量が必要だ。iCloud上や他のデバイスで写真を削除すると、iPadからも削除される（逆も同様）点にも注意しよう。なお、「マイフォトストリーム」機能を使えば、iCloudの容量を消費せずに自動アップロードできるが、ビデオは保存できず枚数や期限に制限がある。また、最近作成されたApple IDでは、残念ながらマイフォトストリームが使えなくなっている。

使い始め POINT!

撮影したすべての写真を見るには？

画面の左端から右にスワイプするか、左上のボタンをタップすると、サイドバーが開く。一番上の「ライブラリ」を開いて、上部メニューの「すべての写真」をタップすれば、iPad上のすべての写真やビデオを見ることができる。

写真一覧をピンチ操作で拡大、縮小する

昔の写真からざっと探したい時は、一覧表示をピンチインして縮小すれば月や年単位で素早くスクロールできる。似たような写真から1枚を選びたい時は、ピンチアウトで拡大して1枚ずつスクロールすると探しやすい。この操作は、メールアプリなどで添付写真を選ぶときにも使える。

サイドバーで見たい写真を素早く探す

見たい写真を素早く探し出すには、サイドバーを使いこなそう。「メディアタイプ」でビデオやセルフィー、スクリーンショットなど撮影モード別にまとめて表示できるほか、「ピープル」でよく写っている人物別に表示したり、「撮影地」マップ上から写真を探し出せる。また「For You」では、自動生成されたスライドショーやおすすめの写真も楽しめる。

操作❶ | 写真やビデオを閲覧し詳細を確認する

1 撮影した写真を表示する

各メニューで写真のサムネイルをタップすれば、その写真が表示される。画面を左右にスワイプするか下部のサムネイルバーで表示写真を切り替える。

2 撮影したビデオを再生する

ビデオのサムネイルをタップすると、自動で再生が開始される。上部メニューで一時停止やスピーカーのオン／オフが可能。

3 写真にキャプションを追加する

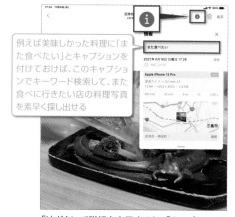

例えば美味しかった料理に「また食べたい」とキャプションを付けておけば、このキャプションでキーワード検索して、また食べに行きたい店の料理写真を素早く探し出せる

「i」ボタンで詳細を表示すると、「キャプションを追加」欄にメモを記入できる。このキャプションは検索対象になるのでタグのように使える。

操作❷ | 写真アプリの基本操作と機能

1 写真やビデオを まとめて選択する

写真やビデオの一覧画面で右上の「選択」を
タップすると選択モードになる。個別にタップし
なくても、ドラッグでまとめて選択可能だ。

2 写真やビデオを 削除する

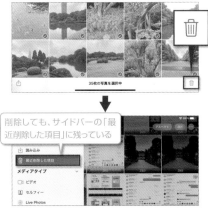

削除しても、サイドバーの「最
近削除した項目」に残っている

写真やビデオを選択して、ゴミ箱ボタンをタップ
すると削除できる。削除してもしばらくは「最近
削除した項目」アルバムに残る。

3 削除した項目を復元 または完全に削除する

「最近削除した項目」で
上部の「選択」をタップ。
写真やビデオを選択して、
左下の「削除」をタップす
ると完全に削除できる

右下の「復元」をタップす
ると、選択した写真やビ
デオを復元できる

削除　　　　　　　　復元

「最近削除した項目」アルバムでは、削除した写
真やビデオが最大30日間保存されており、選択
して復元したり、完全に削除することが可能だ。

4 強力な検索機能を 活用する

「猫」や「花」といった具体的な
ワードで検索できる。また写真
につけたキャプション（P072
で解説）でもヒットする

サイドバーで「検索」を開くと、ピープルや撮影
地、カテゴリなどで写真を探せるほか、被写体や
キャプションをキーワードにして検索できる。

5 あとで見返したい写真は 「お気に入り」にする

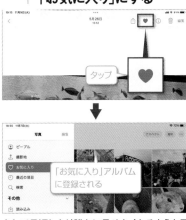

タップ

「お気に入り」アルバム
に登録される

あとで見返したり誰かに見せたくなるような写
真は、ハートボタンをタップしておこう。「お気に
入り」アルバムですぐに表示できる。

6 見られたくない写真や ビデオを非表示にする

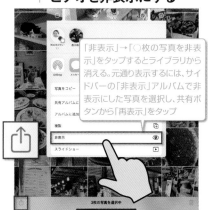

「非表示」→「○枚の写真を非表
示」をタップするとライブラリから
消える。元通り表示するには、サイ
ドバーの「非表示」アルバムで非
表示にした写真を選択し、共有ボ
タンから「再表示」をタップ

写真を選択して、左下の共有ボタンから「非表
示」→「○枚の写真を非表示」をタップすると、
選択した写真は表示されなくなる。

7 アルバムで 写真を整理する

タップして新規アルバムを作成し、
アルバムに追加する写真を選択
していく。既存のアルバムに写真
を追加するには、アルバムを開い
て「+」ボタンをタップする

サイドバーを下にスクロールして、マイアルバム
の「新規アルバム」ボタンをタップすると、アル
バムを作成して写真を追加できる。

8 フィルタ機能で 写真を絞り込む

2つ以上の条件にチェックしてすべて当
てはまる項目のみ表示することも可能

写真の一覧画面で、右上のオプション（…）ボタ
ンから「フィルタ」を選択すると、お気に入りや
編集済み、写真、ビデオのみを抽出できる。

9 自動で作成された メモリーを楽しむ

タップ

メモリーのBGMやフィルタは好きな
ものに変更でき、BGMにApple Music
（P078で解説）の曲を使うことも可
能だ。またメモリーはMOV形式の動画
ファイルとして共有できるが、Apple
Musicの曲を使用すると共有できない

サイドバーで「For You」を開くと、特定のテー
マで写真やビデオをまとめた「メモリー」が自動
作成されており、スライドショーも楽しめる。

標準アプリ完全ガイド

操作❸ | 撮影した写真を編集、加工する

1 | 写真を選択して 編集ボタンをタップ

編集

写真アプリで編集したい写真を選んでタップ。続けて画面右上の「編集」をタップしよう。写真の編集画面に切り替わる。

2 | 編集画面で レタッチを行う

各ボタンで写真を加工していく

編集画面では、「調整」メニューで「自動」「露出」「ブリリアンス」などの項目が表示され、明るさや色合いを自由に調整できる。

3 | トリミングや 傾き補正も簡単

白い枠の角をドラッグしてトリミング範囲を調整。いらない部分を削除して構図を整えられる

トリミングボタンをタップすると、四隅の枠をドラッグしてトリミングできるほか、傾きを修正したり、横方向や縦方向の歪みも補正できる。

4 | 写真の加工や編集を あとから元に戻す

タップ

編集を適用した写真は、「編集」→「元に戻す」→「オリジナルに戻す」をタップするだけで、簡単に元の写真に戻すことができる。

5 | ポートレートの照明や ぼけ具合を変更する

被写界深度を変更し、ボケ具合を調整できる

照明エフェクトの変更

ポートレートモードで撮影した写真は、編集画面で照明エフェクトを変更できるほか、上部の「f」ボタンで被写界深度も変更できる。

6 | 他のアプリの フィルタを適用する

写真アプリ上に、他の写真編集アプリのフィルタを呼び出す

編集画面で右上の「…」をタップすると、インストール済みの他の写真編集アプリのフィルタ機能を呼び出し、適用することができる。

操作❹ | 撮影したビデオを編集、加工する

1 | ビデオの不要な 部分をカットする

左右の黄色い枠をドラッグして開始位置と終了位置を指定。黄色い枠の前後の部分が削除される

ビデオを開いて「編集」をタップ。タイムラインの左右端をドラッグすると表示される黄色い枠で、カット編集する位置を指定できる。

2 | フィルタや傾き 補正を適用する

タップして調整やフィルタメニューに切り替える

「調整」「フィルタ」「トリミング」ボタンをタップすると、それぞれで色合いを調整したり、フィルタや傾き補正を適用できる。ビデオもトリミング機能で構図を整えることができる。

💡 使いこなしヒント

Live Photosの エフェクトを変更する

タップ

動く写真「Live Photos」の場合は、左上の「LIVE」をタップすると、エフェクトを「ループ（繰り返し再生）」「バウンス（再生と逆再生の繰り返し）」「長時間露光（長時間シャッターを開いたときの効果）」に変更できる。

操作❺ | iCloud写真やマイフォトストリームを利用する

1 iCloud写真をオンにする

「設定」→「写真」→「iCloud写真」をオンにすれば、すべての写真やビデオがiCloudに保存される。ただしiCloudの空き容量が足りないと機能を有効にできない。

2 端末の容量を節約する設定

「設定」→「写真」→「iPadのストレージを最適化」にチェック。「オリジナルをダウンロード」を選択すると、iCloudとiPadの両方にオリジナルのデータが保存される

iCloud写真がオンの時、「iPadのストレージを最適化」にチェックしておけば、オリジナルの写真はiCloud上に保存して、iPadにはデータサイズを縮小した写真を保存できる。

3 写真アプリの内容は特に変わらない

iCloud写真をオンにしても写真アプリの内容は特に変わらない。ただし、同じApple IDのiPhoneなどでiCloud写真を有効にしていると、写真の削除などの変更が同期されるので注意。

4 マイフォトストリームをオンにする

オンにすると「マイフォトストリーム」が使える。ただし、最近作成されたApple IDだと、この項目は表示されず機能自体が消えている。今後も使えるようにはならないので、ここ数年でApple IDを取得した人は、マイフォトストリームの利用を諦めよう

「設定」→「写真」→「マイフォトストリーム」をオンにすれば、iPadで撮影した写真がクラウド上に保存されるようになる。iCloudの容量を消費せず完全無料で使えるのがメリットだ。

5 マイフォトストリームの写真を閲覧する

タップして表示。マイフォトストリームを有効にした他のデバイスで撮影した写真も表示される

マイフォトストリームの写真は、写真アプリの「マイフォトストリーム」アルバムで確認できる。ただし保存期間は最大で30日間、保存枚数は1,000枚まで。ビデオは保存されない。

💡使いこなしヒント

iCloudの容量を追加購入する

iCloud写真を有効にしていると、iCloudの容量が足りなくなりがちだ。「設定」で一番上のApple IDをタップし、「iCloud」→「ストレージを管理」→「ストレージプランを変更」をタップすると、50GB／月額130円などのiCloud+にアップグレードできる。

操作❻ | 写真やビデオをパソコンにバックアップする

1 iPadとパソコンをUSBケーブルで接続

iCloudの容量を使わずにiPadで撮影した写真やビデオを保存しておきたいなら、パソコンに取り出すのがおすすめだ。まずはパソコンとiPadをUSBケーブルで接続しよう。iPadが外付けデバイスとして認識される。

2 「DCIM」フォルダから写真やビデオをコピー

iPadの画面ロックを解除すると、「Internal Storage」→「DCIM」フォルダにアクセスできる。年月別のフォルダにiPadで撮影した写真やビデオが保存されているので、パソコンにコピーしよう。

💡使いこなしヒント

写真ライブラリでバックアップする

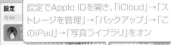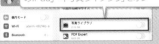

設定でApple IDを開き、「iCloud」→「ストレージを管理」→「バックアップ」→「このiPad」→「写真ライブラリ」をオン

iCloud写真がオフの時は、「写真ライブラリ」をオンにして、現時点の端末内の写真やビデオを含めたiCloudバックアップを作成できる。ただこの機能は、どのみちiCloudの容量を消費する上に中身の写真を取り出せないので、写真のバックアップには「iCloud写真」を使ったほうが便利だ。

ミュージック
定額聴き放題サービスも利用できる標準音楽プレイヤー

端末内の曲もクラウド上の曲もまとめて扱える

「ミュージック」は、音楽配信サービス「Apple Music」の曲や、パソコンから取り込んだ曲、iTunes Storeで購入した曲を、まとめて管理できる音楽再生アプリだ。Apple Musicの利用中は、サイドバーの「今すぐ聴く」で好みに合った曲を提案してくれるほか、「見つける」で注目の最新曲を見つけたり、「ラジオ」でネットラジオを聴ける

る。さらにApple Musicでは、「ライブラリを同期」という機能も使える。これは、iPadやiPhoneの曲、パソコンのiTunes（Macではミュージックアプリ）で管理している曲を、すべてiCloudにアップロードして同期する機能で、いちいちケーブルで接続してiPadに転送しなくても、いつでも自宅パソコンの曲をストリーミング再生したりダウンロード保存できるのだ。ただしApple Musicを解約すると、iCloudの同期している曲は削除され、再生できなくなるので要注意。パソコンにある元の曲は消さないようにしよう。

使い始め POINT! サイドバーの項目を理解する

画面の左端から右にスワイプするか、左上の「ミュージック」をタップすると、サイドバーが開く。「今すぐ聴く」や「見つける」、「ラジオ」はApple Musicで使えるメニューだ。iPad上の曲はすべて「ライブラリ」にある「アーティスト」「アルバム」「曲」「ダウンロード済み」などのカテゴリから探せる。これらの項目は、上部の「編集」で削除や追加、並べ替えができる。聴きたい曲をアーティスト名から探すことが多い人は、表示する項目を「アーティスト」だけにしても使いやすい。Apple Musicを利用中は、直近に追加したアルバムや曲をすぐに確認できるように「最近追加した項目」も表示させておこう。

サイドバーの「ライブラリ」は、あまり使わない項目を非表示にした方がスッキリして使いやすい。項目を編集するには、上部の「編集」をタップする。

「アーティスト」や「最近追加した項目」など、自分がよく使う項目だけ残して、他の項目はチェックを外しておこう。

操作❶ ライブラリから曲を再生する

1 ライブラリから曲を探す

画面を左端から右にスワイプしてサイドバーを開き、「ライブラリ」のアーティストやアルバムなどのカテゴリから聴きたい曲を探そう。

2 曲名をタップして再生を開始する

曲名をタップすると、すぐに再生が開始される。画面下部にミニプレイヤーが表示され、一時停止や曲をスキップといった操作が可能だ。

3 再生画面を開いてコントロールする

ミニプレイヤー部をタップすると再生画面が開く。アルバムジャケットが表示されるほか、シークバーや音量バーなども表示される。

操作❷ | ミュージックアプリで行えるさまざまな操作と機能

1 | ロングタップメニューで 様々な操作を行う

アルバムや曲をロングタップすると、削除やプレイリストへの追加、共有、好みの曲として学習させるラブ機能などのメニューが表示される。

2 | ダウンロード済みの 曲やアルバムを削除

「ダウンロードを削除」で端末から削除。「ライブラリから削除」してしまうと、購入履歴からも消えてしまい再ダウンロードが面倒になるので注意。パソコンのiTunes（Macではミュージックアプリ）で非表示の購入済みアイテムを再表示させると、再ダウンロードが可能になる

Apple MusicやiTunes Storeでオフラインでも聴けるように保存した曲は、「削除」→「ダウンロードを削除」で削除できる。端末内から削除するだけなので、いつでも再ダウンロードできる。

3 | 歌詞をカラオケの ように表示する

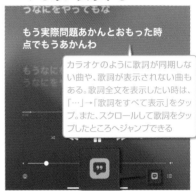

カラオケのように歌詞が同期しない曲や、歌詞が表示されない曲もある。歌詞全文を表示したい時は、「…」→「歌詞をすべて表示」をタップ。また、スクロールして歌詞をタップしたところへジャンプできる

再生画面右下の歌詞ボタンをタップすると、カラオケのように、曲の再生に合わせて歌詞がハイライト表示される。

4 | 音声出力先を 切り替える

再生画面左下の出力先切り替えボタンをタップすると、BluetoothスピーカーやAirPlay対応デバイスに音声を出力できる。

5 | 「次はこちら」 リストを表示する

再生画面右下のボタンをタップすると、「次に再生」リストが表示される。リストの曲をタップすると、その曲が再生される。

6 | 曲やアルバムを シャッフル、リピートする

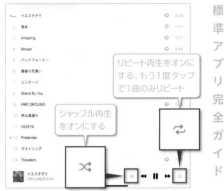

リピート再生をオンにする。もう1度タップで1曲のみリピート

シャッフル再生をオンにする

再生中の曲、アルバム、プレイリストは、ミニプレイヤー部のボタンでシャッフル再生したり、リピート再生を行える。

操作❸ | 好みの曲だけのプレイリストを作成する

1 | 新規プレイリストを 作成する

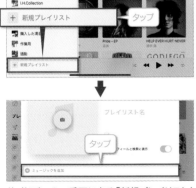

タップ

タップ

サイドバーの一番下にある「新規プレイリスト」ボタンでプレイリストを作成できる。続けて「ミュージックを追加」をタップする。

2 | 曲を選んで 追加していく

タップしてプレイリストに追加していき、最後に右上の「完了」をタップ

アルバムや曲の選択画面になるので、プレイリストに追加したい曲を選択していこう。各項目の右端にある「＋」ボタンをタップすればよい。

3 | プレイリストを 編集する

タップして新しい曲を追加する

三本線ボタンをドラッグして再生順を変更する

作成したプレイリストを開いて、右上の「…」→「編集」をタップすると、プレイリストに新しい曲を追加したり、再生順を並べ替えられる。

標準アプリ完全ガイド

Apple Musicを使ってみよう

世界中の9,000万曲が聴き放題になる、Appleの定額制音楽ストリーミング配信サービスが「Apple Music」だ。新人アーティストの最新曲から過去の定番曲まであらゆる楽曲を、iPhoneやiPad、Macのミュージックアプリや、WindowsのiTunesを使って楽しめる。プランは3種類用意されており、もっとも一般的な個人プランの場合は月額980円（税込）で利用できる。ファミリープランで契約すると、月額1,480円（税込）で家族6人まで利用可能だ。初回登録時は3ヶ月間無料で利用できるので、気軽に登録して使ってみよう。

1 | Apple Musicに登録する

タップ

まずは「設定」→「ミュージック」→「Apple Musicに登録」でApple Musicに登録しよう。初回登録時は3ヶ月無料で試用できる。

2 | 契約するプランを選択する

家族で利用する場合や、複数の端末で同時に再生したい場合は「ファミリー」を選択しよう。「学生」は在学証明が必要なプラン

「プランをさらに表示」をタップすると、「個人」「ファミリー」「学生」プランから選択できる。通常は「個人」で契約しよう。

3 | ライブラリの同期を有効にする

オンにする

Apple Musicに登録したら、「設定」→「ミュージック」→「ライブラリを同期」をオンにし、Apple Musicの曲を追加できるようにしておく。

4 | Apple Musicの配信曲を検索する

上部のタブで検索結果を絞り込める。「アーティスト」タブでアーティスト名をタップすると、そのアーティストの専用ページが開き、最新曲やアルバムを確認できる。このページからでも聴きたい曲を探しやすい

サイドバーの「検索」でキーワード検索すると、上部のタブで「アーティスト」「アルバム」「曲」などを絞り込める。「ミュージックビデオ」にはライブ映像などもある。

5 | Apple Musicの曲をライブラリに追加

タップしてダウンロードすればオフラインでも再生できるようになる

アルバムは「＋」ボタンを、曲は「…」→「ライブラリに追加」をタップするとライブラリに追加できる。追加後はダウンロードボタンをタップすると端末内に保存できる。

6 | 自動ダウンロードを有効にする

Wi-Fiモデルの場合は、オフラインでもどこでも聴けるように、自動ダウンロードをオンにしておくのがおすすめ

「設定」→「ミュージック」→「自動的にダウンロード」をオンにしておくと、ライブラリに追加した曲が自動でダウンロードされるようになる。

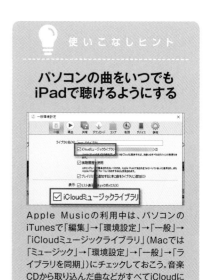

操作❺ | 音楽CDの曲をiTunesに取り込む

1 | パソコンにiTunesをインストールする

iTunes
https://www.apple.com/jp/itunes/

音楽CDの楽曲は、パソコンのiTunesを使って取り込むことができる。まずは公式サイトから、Windows用のiTunes最新版をダウンロードし、インストールを済ませよう。なおMacの場合は、標準搭載されている「ミュージック」アプリで取り込むことが可能だ。

2 | 「読み込み設定」をクリック

iTunesを起動したら、まず「編集」→「環境設定」をクリックし、「一般」タブの「読み込み設定」ボタンをクリックする。

3 | ファイル形式や音質を設定する

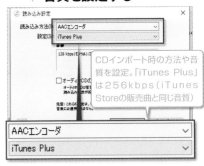

ここでCDインポート時のインポート方法（AACやMP3、Appleロスレスといったファイル形式）や音質などの設定を選択したら、「OK」で設定完了。標準の「AAC」と「iTunes Plus」の組み合わせがおすすめだ。

4 | 音楽CDをセットする

音楽CDをパソコンのドライブにセットすると、iTunes上に曲のタイトルなどが表示される。「〜iTunesライブラリに読み込みますか？」と表示されたら「はい」をクリックしよう。

5 | 全曲インポートされるまで待つ

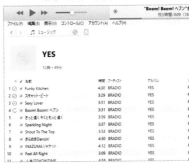

音楽CD内の曲がiTunes内に取り込まれ、ファイルとして変換されていく。すべての曲に緑色のチェックマークが付くまで、しばらく待とう。なお、曲名やアーティスト名なども自動的に設定される。

6 | インポートされた曲を確認する

取り込みが終了したら、画面左上のメニューボタンを「ミュージック」に切り替えて、「ライブラリ」タブを開く。インポートした曲が、きちんとライブラリ内にあるか確認しよう。問題なければインポート作業は完了だ。

操作❻ | 取り込んだ音楽をiPadに転送する

1 | Apple Musicの利用中は自動で同期

Apple Musicを利用中で、iTunesの「iCloudミュージックライブラリ」も有効にしておけば（P078で解説）、iTunesに取り込んだ曲は自動的にiCloudにアップロードされるので、特に何もしなくてもiPadで再生できる。

2 | Apple Musicを使っていない時の同期

Apple Musicを使っていないなら、パソコンと接続してiTunes（MacではFinder）でiPadの管理画面を開き、「ミュージック」→「ミュージックを同期」にチェック。続けて「選択したプレイリスト〜」にチェックし、iPadに取り込んだアルバムを選択してして同期しよう。

3 | ドラッグ&ドロップでも転送できる

ライブラリ画面で取り込んだアルバムを選び、左の「デバイス」欄に表示されているiPadにドラッグ&ドロップして、このアルバムだけ手動で転送することもできる。

メモ

意外と多機能な標準メモアプリ

**写真やビデオを添付したり
手書きでスケッチもできる**

標準の「メモ」はシンプルで使いやすいメモアプリだ。思い浮かんだアイデアを書き留めたり、デザインのラフイメージを手書きでスケッチしたり、レシートや名刺を撮影してまとめて貼り付けるなど、さまざまな情報をさっと記録しておくことができる。作成したメモはiCloudで同期されるので、iPhoneやMacでも同じメモを表示、編集できる。他にも、メモを他のユーザーと共同編集したり、写真の被写体や手書き文字も含めてキーワード検索できるなど、シンプルな見た目に反して意外と多機能なアプリとなっている。またiPadOS 15からは「クイックメモ」機能が追加され、ホーム画面や他のアプリの画面上に小型ウインドウでメモを呼び出せるようになった。Safariで調べ物をしながらリンクをまとめたり、ビデオ会議中にメモをとるなど、幅広いシーンで活用できる。まずは新機能のクイックメモの使い方から解説する。

使い始め POINT!

他のアプリ上でも使える「クイックメモ」

右下の角から左上に向かってフリック

iPadでは、どの画面からもすばやくメモを開いて書き込むことができる「クイックメモ」機能が使える。ホーム画面や他のアプリを使用中に、画面右下の角から左上に向かって、指やApple Pencilでフリックしてみよう。すぐにクイックメモの画面が開き、テキストや手書きでメモを作成できる。Webページやページ内のテキストとリンクさせることも可能だ。作成したクイックメモは、メモアプリの「クイックメモ」フォルダに保存される。

**クイックメモを
一時的に隠す**

画面端にドラッグして隠す

タップすると元の画面に戻る

クイックメモは、ピンチイン／アウトでサイズを変更できるほか、上部のバーをドラッグして位置を動かせる。また上部のバーを画面の端にドラッグすると、クイックメモが一時的に隠れる。小さく表示されたハンドルをタップすると元の画面に戻る。

操作❶ クイックメモの使い方と機能

1 クイックメモの基本的な操作

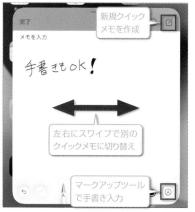

新規クイックメモを作成

左右にスワイプで別のクイックメモに切り替え

マークアップツールで手書き入力

クイックメモを開いたら、右上のボタンで新規メモを作成できる。左上の「完了」をタップすると保存して終了する。

2 写真やリンクをドラッグして追加

ドラッグ＆ドロップでメモに追加。また、Safari上で利用する場合は、クイックメモウインドウ上部の「リンクを追加」で表示中のWebのリンクを挿入できる

アプリ上の写真やテキスト、リンクなどをクイックメモへドラッグ＆ドロップで貼り付けることができる。

3 選択したテキストのリンクを追加する

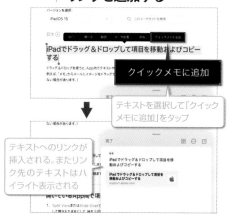

クイックメモに追加

テキストを選択して「クイックメモに追加」をタップ

テキストへのリンクが挿入される。またリンク先のテキストはハイライト表示される

テキストを選択して「クイックメモに追加」をタップすると、選択したテキストと、そのテキストへのリンクをクイックメモ内に追加できる。

操作❷ | メモアプリの機能を使いこなす

1 | 写真やビデオを貼り付ける

手書き文字の上に写真を重ねることも可能

上部のカメラボタンをタップすると、写真やビデオを撮影したり、写真アプリから選択してメモに貼り付けることができる。

2 | 手書きで文字やイラストを描く

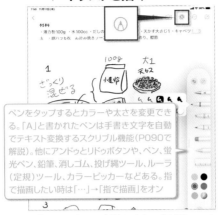

ペンをタップするとカラーや太さを変更できる。「A」と書かれたペンは手書き文字を自動でテキスト変換するスクリブル機能(P090で解説)。他にアンドゥとリドゥボタンや、ペン、蛍光ペン、鉛筆、消しゴム、投げ縄ツール、ルーラ(定規)ツール、カラーピッカーなどある。指で描画したい時は「…」→「指で描画」をオン

上部のマークアップボタンをタップするとマークアップツールが表示され、Apple Pencilや指を使って手書きで文字やイラストを描ける。

3 | 手書きの図形を自動で整える

図形を描き終えたらしばらく停止

手書きで円や四角や星型を描いたら、描き終えた位置でしばらく停止させよう。自動的にきれいに整えた図形に変換してくれる。

4 | ドラッグやコピーも可能

手書き文字を選択して「テキストとしてコピー」をタップすると、スクリブル機能によってテキストに変換してコピーできる(P090で解説)

描いた文字やイラストは投げ縄ツールで囲むと、ドラッグして移動したり、タップして表示されるメニューでコピーもできる。

5 | 他のユーザーと共同で編集する

「メモを共有」をタップしてメールやメッセージで参加依頼を送信しよう。なお、相手の編集が反映されるまでタイムラグがあるので、オンラインホワイトボードのような用途には不向きだ

他のユーザーとメモを共同編集することもできる。「…」→「メモを共有」をタップして、共有したいユーザーを招待しよう。

6 | 共有メモの履歴と名前の言及

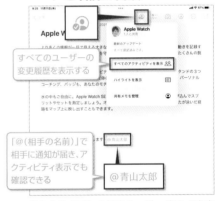

すべてのユーザーの変更履歴を表示する

「@(相手の名前)」で相手に通知が届き、アクティビティ表示でも確認できる

@青山太郎

共有中のメモは、上部のユーザーボタンから変更履歴を確認できる。また「@」に続けて共有中の相手の名前を入力すると、その相手には通知が届きメッセージを伝えられる。

7 | 作成したメモを管理する

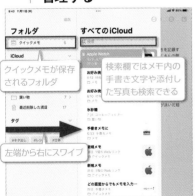

クイックメモが保存されるフォルダ

左端から右にスワイプ

画面の左端から右にスワイプするとメモが一覧表示され、さらに右にスワイプするとフォルダが一覧表示される。フォルダ一覧の左下のボタンで新規フォルダを作成し、メモを整理しておこう。

8 | 作成したメモを操作する

検索欄ではメモ内の手書き文字や添付した写真も検索できる

左右にスワイプ

ロングタップしてメニューを表示

メモを左右にスワイプするか、ロングタップしてメニューを表示すると、ピンで固定してリストの一番上に表示したり、フォルダ移動や削除といった操作を行える。

9 | ホーム画面でメモを付箋のように表示する

ウィジェットの設定や操作はP024で解説

ホーム画面にメモのウィジェットを配置しておくと、付箋のように使えて便利だ。ウィジェットの編集で表示するフォルダを指定しよう。

金曜日 26 カレンダー

iPadで効率的にスケジュールを管理する

iCloudカレンダーやGoogle カレンダーと同期して使おう

「カレンダー」は、仕事や趣味のイベントを登録していつでも予定を確認できるスケジュール管理アプリだ。まずは「仕事」や「プライベート」といった、用途別のカレンダーを作成しておこう。作成したカレンダーに、「会議」や「友人とランチ」などイベントを登録していく。カレンダーは日、週、月、年で表示モードを切り替えでき、イベントのみを一覧表示してざっと確認することもできる。また作成したカレンダーやイベントはiCloudで同期され、iPhoneやMacでも同じスケジュールを管理できる。なお、会社のパソコンやAndroidスマートフォンでGoogleカレンダーを使っている人は、「設定」→「カレンダー」→「アカウント」でGoogleアカウントを追加し、「カレンダー」のスイッチをオンにしておこう。Googleカレンダーが同期され、Googleカレンダーで作成した「仕事」などのカレンダーに、iPadから予定を作成できるようになる。

使い始め POINT! イベントを保存する「カレンダー」を用途別に作成する

まずは、必要に応じて「仕事」や「英会話」のように用途別のカレンダーを作成しておこう。たとえば「打ち合わせ」というイベントは「仕事」カレンダーに保存するといったように、イベントごとに作成したカレンダーに保存して管理できる。また作成したカレンダーはiCloudで同期されるので、iPadで作成したカレンダーやイベントをiPhoneやMacで表示したり、iPhoneやMacで作成したカレンダーやイベントもiPadで確認できる。

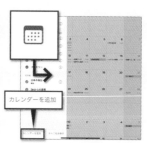

左上のカレンダーボタンをタップして一番下の「カレンダーを追加」ボタンをタップし、「仕事」「英会話」など用途別のカレンダーをiCloud上に作成しておこう。

「設定」一番上のApple IDを開き、「iCloud」→「カレンダー」をオンに

iPhoneやMacでカレンダーを使っていて、iCloudと同期している場合は、iCloudでカレンダーのスイッチをオンにするだけで、作成済みのカレンダーやイベントが同期して表示される。

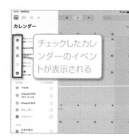

チェックしたカレンダーのイベントが表示される

同期したカレンダーの予定がカレンダーアプリに表示されない場合は、左上のカレンダーボタンをタップしてチェックを確認しよう。

操作❶ 表示形式の変更とイベントの作成

1 カレンダーを見やすい表示モードに切り替える

カレンダーアプリを起動したら、上部メニューで「日」「週」「月」「年」表示モードに切り替えることができる。

2 新規イベントを作成する

左上の「+」をタップするか日付をロングタップすれば、新規イベントの作成画面が開く。予定を入力したら右上の「追加」をタップして作成。

3 イベント内容を編集、削除する

追加したイベントをタップすると詳細表示。目的地をマップで確認できるほか、右上の「編集」で内容を編集したり「イベントを削除」で削除できる。

ファイル

クラウドサービスやアプリのファイルを一元管理

ドラッグ&ドロップで複数サービスのファイルを操作

「ファイル」は、iCloud Drive、Google Drive、Dropboxといった対応クラウドサービスと、一部の対応アプリ内にあるファイルを一元管理するためのファイル管理アプリだ。クラウドサービスの公式アプリや対応アプリがiPadにインストール済みであれば、サイドバーの「場所」欄に表示され、タップして中身のファイルを操作できる。表示されない場合は、「…」→「サイドバーを編集」をタップして表示したいサービスをオンにしておこう。ファイルアプリを使えば、他のサービスにファイルをドラッグ&ドロップで移動したり、タグを付けて複数サービスのファイルを横断管理するといった操作が簡単に行えるようになる。また、iPadに接続したUSBメモリやSDカードなどの外部ストレージにもアクセスできるほか、ZIPファイルを圧縮／解凍したり、SMBサーバーへの接続機能でパソコンの共有フォルダやNASなどに接続することもできる。

使い始め POINT! よく使うクラウドを追加する

Dropboxなどよく使うクラウドサービスがあれば、「ファイル」アプリでアクセスできるように追加しておこう。メールアプリでファイルを添付する際に、iCloud以外のクラウドサービスからも直接ファイルを取り込めるようになる。逆にあまり使っていないサービスは非表示にした方がスッキリして使いやすい。

画面の左端から右にスワイプするか左上のボタンをタップすると、サイドバーが開く。上部の「…」→「サイドバーを編集」をタップしよう。

iPadにインストール済みのクラウドサービスや対応アプリが一覧表示される。Dropboxなどよく使うサービスのスイッチをオンにしておこう。

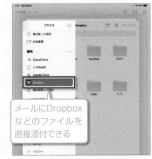

メールアプリでファイルを添付する際に、ファイルアプリに追加したクラウドサービスから直接ファイルを取り込んで添付できるようになる。

操作❶ ファイルアプリの基本操作

1 ロングタップでファイルを操作する

ファイルやフォルダをロングタップするとメニューが表示され、コピーや移動、詳細情報の表示、タグの設定や圧縮といった操作を行える。

2 ファイルを圧縮、解凍する

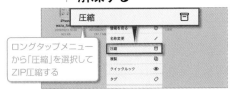

ロングタップメニューから「圧縮」を選択してZIP圧縮する

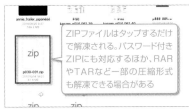

ZIPファイルはタップするだけで解凍される。パスワード付きZIPにも対応するほか、RARやTARなど一部の圧縮形式も解凍できる場合がある

ファイルやフォルダをロングタップし、「圧縮」をタップするとZIPで圧縮できる。ZIPファイルはタップすると、すぐにその場に解凍される。

3 ファイルにタグを付けて整理する

ロングタップメニューから「タグ」をタップ

ファイルにタグを付けて整理しておけば、サイドメニューの「タグ」を選択するだけで、複数の場所のファイルを横断管理できる。

設定

さまざまな設定を変更して使いやすくカスタマイズする

iPadを使いこなすために設定内容を把握しよう

「設定」アプリをタップして起動すると、iPadのさまざまな機能を変更する設定項目が表示される。主要な標準アプリやiCloudに関連する設定は、それぞれのページで解説しているので、ここではその他の設定項目について解説しよう。iPadをより快適に使いこなすには、この「設定」でどんな機能を利用できるか把握しておくことが重要だ。Wi-Fiやモバイルデータ通信などのネットワーク設定、画面やサウンドなどシステム周り、iPadOSのアップデートなど、iPadの使い勝手を左右する重要な設定や機能がまとめられているので、一通りチェックしておきたい。

使い始め POINT! 設定項目をキーワード検索する

「設定」アプリではiPadを便利に使うためのさまざまな項目が用意されているが、iPadを初めて使う人には、どこに何の設定項目があるのか分かりづらいだろう。そんな時は、左メニュー上部の検索欄にキーワードを入力してみよう。関連する設定項目がリスト表示され、タップすればその設定画面を開くことができる。

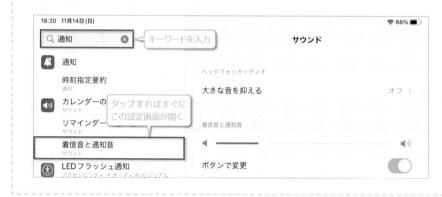

---

1 不要なWi-Fiに接続しないようにする

不安定なWi-Fiスポットに自動接続するのを防ぐ

不安定なWi-Fiスポットなどに一度接続すると、次からも検出と同時に自動で接続してしまう。Wi-Fiネットワークは自動接続機能を個別にオフにできるので、貧弱なWi-Fiスポットの自動接続は無効にしておこう。

「設定」→「Wi-Fi」で、接続が不安定なWi-Fiネットワークの「i」ボタンをタップし、「自動接続」のスイッチをオフにしておこう。

2 Bluetoothで機器を接続する

「Bluetooth」をオンにして対応機器を検出

iPadは、Bluetooth対応のヘッドセットやキーボードなどと無線で接続できる。設定で「Bluetooth」のスイッチをオンにすると、自動的に接続できるBluetooth機器が検出されるので、タップしてペアリングを完了しよう。

Bluetooth機器をペアリング可能な状態にした上で、「Bluetooth」をオンにし、検出されたデバイス名をタップすれば接続できる。

3 モバイルデータ通信をアプリごとに制限する

意図しない通信が発生しないよう事前に設定

モバイルデータ通信中にうっかりストリーミング動画などを再生しないよう、アプリごとにモバイルデータ通信の使用を禁止しておこう。「設定」→「モバイルデータ通信」で、禁止するアプリをオフにすればよい。

YouTubeなど通信量が増加しがちなアプリはオフに。なお、この画面には一度モバイルデータ通信を使ったアプリのみ表示される。

4 Siriからの提案を非表示にする

Spotlightや共有シートにアプリを表示させない

音声アシスタントのSiriは、アプリや連絡先の使用状況を学習し、Spotlight検索や共有シートにおすすめのアプリとして提案する機能も備えている。よく使うアプリや連絡先を人に見られたくないなら非表示にしておこう。

「Siriと検索」→「APPLEからの提案」にある各項目のスイッチをオフにしておこう。よく使うアプリや連絡先が提案されなくなる。

5 Night Shiftで画面のブルーライトを低減する

夜間は画面を目に優しい表示にしよう

ブルーライトを低減する「Night Shift」機能をオンにしておけば、設定した時刻になるとディスプレイが暖色系の表示に調整され、目への負担が軽減される。就寝前にSNSや電子書籍を利用するユーザーにおすすめ。

「画面表示と明るさ」→「Night Shift」で「時間指定」をオン。自動でNight Shift画面に切り替えるスケジュールを設定しよう。

6 アプリのアイコンの大きさを変更する

ホーム画面のアプリを大きく見やすくする

ホーム画面のアプリが小さくて見づらいと感じるなら、「大きいAppアイコンを使用」をオンにしておこう。アプリが大きく表示されて見やすい。なお、アプリを大きくしてもホーム画面に表示できるアプリの数は変わらない。

「ホーム画面とDock」→「大きいAppアイコンを使用」をオンにすると、ホーム画面に並ぶアプリがひと回り大きく表示される。

7 バッテリーの使用状況を確認する

どのアプリがどれくらいバッテリーを使っているか確認

「バッテリー」では、24時間以内もしくは過去10日で、バッテリー使用率の高いアプリや使用時間など詳細な状況を確認できる。バッテリー使用率の高いアプリは、バックグラウンド動作をオフにするなどして対処しよう。

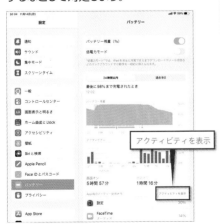

「アクティビティを表示」をタップすると、アプリの使用時間や、バックグラウンド動作時間などの表示に切り替えできる。

8 iPadの使用時間を詳細に確認する

スクリーンタイム機能で用途別の利用時間を表示

「スクリーンタイム」では、毎日iPadをどれくらい使っているかが分かる。「すべてのアクティビティを確認する」をタップすると、週／日の利用時間や、よく使うアプリ、持ち上げた回数、通知回数など詳細を確認できる。

データが表示されない場合は「スクリーンタイムをオンにする」→「続ける」→「これは自分用のiPadです」をタップして有効にする。

9 画面タッチの反応を調整する

感度が敏感過ぎたり反応が悪い時にチェックしよう

「アクセシビリティ」→「タッチ」→「触覚タッチ」で触覚タッチ（画面を長押ししてメニューやプレビューを表示させる機能）のタッチ継続時間を変更できる。また画面タッチの反応が悪い時は、「タッチ調整」で保持継続時間を調整したり、複数回タッチを無視できる。

「アクセシビリティ」→「タッチ」で、触覚タッチの感度を調整しよう。「タッチ調整」ではより細かな調整も可能だ。

標準アプリ完全ガイド

その他の標準アプリ

Appleならでは洗練された便利ツールの数々を使ってみよう

電子書籍を購入して読める

 ブック

電子書籍リーダー&ストアアプリ。キーワード検索やランキングから、電子書籍を探して購入できる。無料本も豊富に用意されている。

ルーペ機能で小さな文字を拡大

 拡大鏡

iPadのカメラを使って細かい文字などを拡大表示できるアプリ。シャッターボタンをタップすると表示中の画面を固定して読める。

iPadの便利技や知られざる機能を紹介

 ヒント

iPadの使い方や機能を定期的に配信するアプリ。ちょっとしたテクニックや便利なTipsがまとめられている。意外な機能を発見することも。

カメラが捉えた物体のサイズを計測

 計測

AR機能を使って、カメラが捉えた被写体の長さや面積を測定できるアプリ。円の中の丸印を開始位置と終了位置に合わせて長さを計測できる。

規則正しい就寝・起床をサポート

 時計

世界時計、アラーム、ストップウォッチ、タイマーが使える時計アプリ。寝る前に音楽を流しながらタイマーをセットし、指定時間後に再生を停止できる。

ラジオやビデオ番組を楽しめる

 Podcast

ネット上で公開されている、音声や動画を視聴できるアプリ。主にラジオ番組やニュース、英会話などの教育番組が配信されている。

さまざまな標準アプリと連携できる

 マップ

標準の地図アプリ。スポットの検索はもちろん、車／徒歩／交通機関でのルート検索を行えるほか、音声ナビや周辺施設の検索機能なども備えている。

さまざまなエフェクトで写真を楽しむ

 Photo Booth

サーモグラフィーやミラー、光のトンネル、渦巻き、引き延ばしなど、8種類のエフェクトを適用して、一風変わった写真を撮影できるアプリ。

Homekit対応機器を一元管理する

 ホーム

「照明を点けて」「電源をオンにして」など、Siriで話しかけるだけで家電を操作できる「Homekit」を利用するためのアプリ。

株価や市場ニュースをチェック

 株価

銘柄を検索してウォッチリストに登録しておけば、日々の株価情報やチャートを素早くチェックできるアプリ。主な市場ニュースもアプリ内で読める。

さまざまな映画やドラマを楽しむ

 Apple TV

オリジナルのドラマ作品など配信するサブスクリプションサービス「AppleTV+」を利用したり、映画やドラマを購入またはレンタルして視聴できるアプリ。

紛失した端末や友達を探せる

 探す

紛失したiPhoneやiPadを探したり、家族や友達の現在位置を調べることができるアプリ。遠隔操作でサウンドを鳴らしたり、データを消去することも可能。

やるべきことを忘れず通知

 リマインダー

覚えておきたいことを登録しておけば、しかるべきタイミングで通知してくれるタスク管理アプリ。指定エリアに移動した際に通知させることもできる。

11言語対応の翻訳アプリ

 翻訳

11言語を相互に翻訳できるアプリ。翻訳したい2つの言語を選択し、マイクボタンをタップして話せば、発言が翻訳され音声で再生される。

音楽や映画を購入できる

 iTunes Store

オンラインで音楽を購入したり、映画を購入・レンタルできるAppleの配信サービスを利用するためのアプリ。映画の再生はApple TVで行う。

複雑な操作をまとめて実行できる

 ショートカット

よく行う複数の操作を登録しておけば、まとめて自動実行できるアプリ。Siriに指示したり、ウィジェットをタップするだけで操作が実行される。

ワンタップで録音できる

 ボイスメモ

iPad本体のマイクを使って周囲の音声を録音できるアプリ。アプリを起動したら、赤い丸ボタンをタップするだけですぐに録音が開始される。

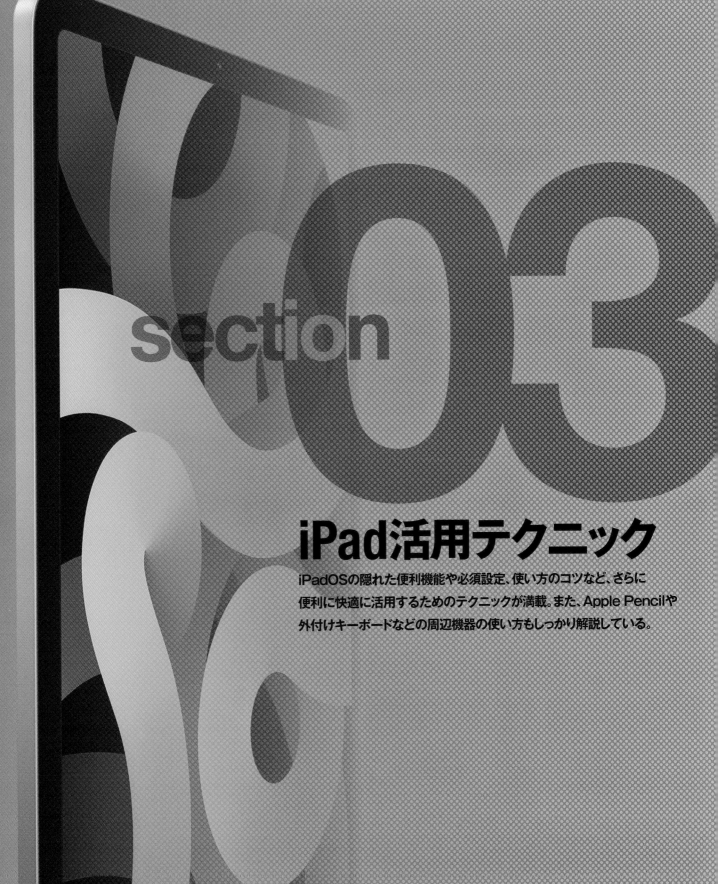

section 03

iPad活用テクニック

iPadOSの隠れた便利機能や必須設定、使い方のコツなど、さらに
便利に快適に活用するためのテクニックが満載。また、Apple Pencilや
外付けキーボードなどの周辺機器の使い方もしっかり解説している。

01

一度使えば手放せなくなる

Apple Pencilで最高の手書き環境を手に入れよう

iPadを持っているなら、Apple Pencilを一度は試していただきたい。ちょっとしたメモから本格的なイラスト、書類への指示入力など、紙とボールペンに匹敵するスムーズな書き心地で手書き処理を行える。特に第2世代のApple Pencilは、本体側面に磁力で取り付けるだけでペアリングと充電を行えるほか、ダブルタップしてツールを切り替えられるなど、さらに劇的な進化を遂げている。

◉ Apple Pencilの特徴と基本的な操作法

iPad側面に取り付けてペアリング&充電

Apple PencilをiPadの右側面に取り付けると、画面上部に「Apple Pencil」およびバッテリー残量が表示されペアリングが完了。すぐに使い始めることができる。取り付ける際、Pencilの向きは上下どちらでもよい。また、側面に取り付けることで充電も行われる。

Apple Pencil（第2世代）
価格 15,950円（税込）
対応モデル
iPad Air（第4世代）、iPad mini（第6世代）、12.9インチiPad Pro（第3、第4、第5世代）、11インチiPad Pro（第1、第2、第3世代）

※オンライン購入に限り、無料の刻印メッセージサービスを利用できる。

iPad側面に取り付けると「Apple Pencil」と表示され、続けてバッテリー残量を表示

使用中に電池残量を確認する方法

ペンマークがApple Pencilのバッテリー残量

ホーム画面の好きな場所に「バッテリー」のウィジェットを配置しておけば、本体のバッテリー残量などと共に、Apple Pencilのバッテリー残量を確認できる。

第1世代もチェック

第1世代では、尾軸キャップを外すとLightningコネクタが出現。iPadのコネクタに差し込むか、変換アダプタを使ってケーブル充電する。

Apple Pencil（第1世代）
価格 11,880円（税込）
対応モデル iPad Air（第3世代）、iPad mini（第5世代）、iPad（第6世代以降）、12.9インチiPad Pro（第1、第2世代）、10.5インチiPad Pro、9.7インチiPad Pro

ダブルタップでツール変更

第2世代Apple Pencilでは、（対応アプリに限り）人差し指や親指で側面をダブルタップして、ペンと消しゴムなど使用ツールを切り替えることができる。「設定」→「Apple Pencil」でダブルタップ時の動作を選択できる。カラーパレットの表示に使用することも可能だ。

タイムラグゼロで圧力も繊細に感知

書き始めのタイムラグもほぼゼロで、紙にペンで書き込んでいるかのような書き心地を実現。

筆圧も感知するため、強めに押すと太めの線を、軽めに押すと細めの線を描ける。

傾きも検知し、鉛筆ツールのブラシサイズや線の濃淡などをコントロールできる。

◉ メモアプリでApple Pencilを使う

テキストや写真と手書きを混在

描画を挿入したい場所をApple Pencilでタップ。描画モードに切り替わり、メモなどを手書き入力できる。また、メモに挿入された写真をタップすると、マークアップ機能で写真上に手書きで文字や注釈を書き込むことができる。

スリープ中でもメモに素早くアクセス

スリープ画面やロック画面をApple Pencilでタップすると、すぐにメモアプリが起動し、手書きでメモを取ることができる。タップ時の動作は、「設定」→「メモ」→「ロック画面からメモにアクセス」で変更できる。

● Apple Pencil対応のおすすめアプリ

PDFに注釈を加えるならこのアプリ!

PDF Expert
作者 Readdle Inc.
価格 無料

　ビジネス書類の定番フォーマット「PDF」。この「PDF Expert」は、PDF上へフリーハンドで指示を書き込んだり、テキストへハイライトやラインを引くなど、さまざまな注釈を加えられるアプリだ。有料のプロ版へ登録すればPDF内のテキスト編集も行える。なお、本書の制作においても、ページラフの作成や校正でPDF Expertを多用している。Apple Pencilとの相性も抜群だ。

各種クラウドに対応

iCloud や Dropbox、Google ドライブ、OneDrive などのクラウドへもアクセス可能。書類の管理や共有もストレスなく行える。

ペンツールを使ってフリーハンドで指示を書き込む。本書の校正でもPDF Expertが大活躍。なお、書き加えた注釈は、パソコンで開いても問題なく表示される

1 ペンとマーカーを利用できる

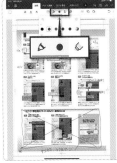

ペンとマーカーが用意されている。マーカーも太さを細くし、不透明度を100%にすれば、ペンと同様の線を描画できる。また、Apple Pencilのダブルタップで、消しゴムと切り替え可能だ。

2 範囲選択して線や文字を消去

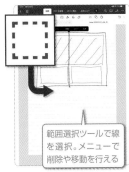

範囲選択ツールで線を選択。メニューで削除や移動を行える

例えば黒い線と赤い線が交わっているような場合、消しゴムツールで片方の線だけ消すのは難しい。そんな時は、範囲選択ツールで線を選択し、「削除」をタップしよう。

3 文字にハイライトや取り消し線を加える

ハイライトなどを消したい場合は、タップしてメニューを開き、「消去」をタップすればよい

文字をなぞってハイライトや取り消し線を加えることも簡単。ツールの色も自由に変更できる。

4 ページの削除や追加並べ替えも可能

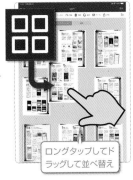

ロングタップしてドラッグして並べ替え

画面上部の四角が4つ並んだボタンから「編集」をタップすると、ページの削除や並べ替えなどを行える。

iPad活用テクニック

「スマート注釈」機能が秀逸!

Pages
作者／Apple
価格／無料

Apple 純正の文書作成アプリ。高機能なテキスト編集能力に加え、写真や図表などを挿入して柔軟なページレイアウトも行える。Word との互換性もある。

スマート注釈を利用

画面右上の「…」→「スマート注釈」をタップすると、スマート注釈モードで注釈を書き込める。例えばこの「c」を加えるという指示。テキストを編集して修正位置が変わっても、注釈が合わせて移動する

「スマート注釈」機能を使えば、文章中に手書きで注釈を入れられるだけでなく、文章の変更に対して注釈の位置が常に追随する。

本格的なイラストレーションに!

Adobe Fresco
作者／Adobe Inc.
価格／無料

iPad Pro と Apple Pencil 用に開発された、アドビのイラストアプリ。プロ向けの多彩な機能を備え、アナログ感覚で本格的なイラストや油彩画や水彩画を描ける。

3タイプのブラシで描画

Photoshop のピクセルブラシ、Illustrator のベクターブラシに加え、にじみや混色や重ねも表現できるライブブラシを同時に扱える。

02 スクリブル
手書き文字をテキストに変換する
日本語にも対応した スクリブルを活用しよう

iPadでは、Apple Pencilで手書きした文字をテキストに自動変換する「スクリブル」機能を利用できる。たとえば手書きしたノートに名前を付けて保存する際など、いちいちキーボードを表示しなくてもApple Pencilだけで操作が完結する。メールやメモ、検索欄など、文字を入力できる場所であれば基本的にスクリブルで入力でき、日本語入力も可能だ。またテキストの削除や挿入など、簡単な編集もApple Pencilのみで行える。

◉ Apple Pencilでテキストの入力や編集ができる

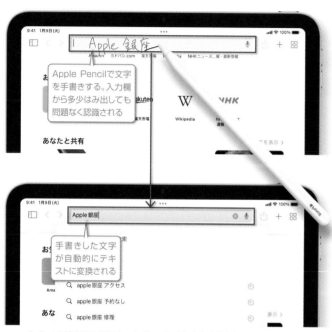

Apple Pencilで文字を手書きする。入力欄から多少はみ出しても問題なく認識される

手書きした文字が自動的にテキストに変換される

Safari の検索欄などに Apple Pencil で文字を手書きすると、すぐにテキストに変換される。日本語と英語の混在も可能だ。日本語をうまく入力できないときは、スクリブル入力時に表示されるスクリブルツールバーのキーボードボタンをタップし、「日本語」を選択すればよい。右で解説している通り、テキストの挿入や削除といった編集も Apple Pencil で行える。

テキストを削除する

こすった部分が消える

テキストをグシャグシャとこすって雑に塗りつぶすと、こすった部分のテキストが削除される。

テキストを範囲選択する

文字が範囲選択される

テキストの上に線を引くと、線を引いたテキストが範囲選択される。テキストを円で囲んでもよい。

テキストを挿入する

Apple ストア

銀座

手書き文字が挿入される

テキストをロングタップすると、その場所に入力フィールドが表示され、手書きでテキストを挿入できる。

スクリブル機能を 無効にするには

オフにする

スクリブル機能を使わないなら、「設定」→「Apple Pencil」→「スクリブル」のスイッチをオフにする。なお、オンのときは「スクリブルを試す」で入力や編集の操作を確認できる。

◉ スクリブル入力時の操作とメニュー

メモアプリでは スクリブルペンを選択

「A」と書かれたを選択して手書きすると、手書きした文字がテキストに変換される

メモアプリでスクリブル入力を使う場合は、上部のペン型ボタンをタップしてマークアップツールバーを表示し、「A」と書かれたペンを選択する。

スクリブルツール バーの操作

スクリブルで日本語を入力できないときは、キーボードボタンをタップし、「日本語」を選択する

アプリによってメニューが異なるが、スクリブル入力時はスクリブルツールバーが表示される。取り消しややり直し、言語の変更などが可能だ。

他社製のアプリで スクリブルを使う

TwitterやFacebookなど、主要なアプリはスクリブル入力に対応している

スクリブル入力に対応していれば、他社製のアプリでも手書き文字をテキスト変換できる。文字の入力欄に Apple Pencil で手書きして試してみよう。

◯ POINT

キーボード代わり としても使える?

キーボード不要で場所を選ばず入力できるスクリブルは、メモの作成やちょっとした検索には最適な機能だ。ただ、少しペンが止まるとすぐ入力され、変換候補も一度入力してタップしないと選択できないなど、キーボード代わりとして使うには不便な点もある。手書きで長文テキストをしっかり入力するなら、「mazec」など手書きキーボードアプリを使ったほうが、文字の修正や再変換も手軽にできて便利だ。

03
左下または右下からドラッグ
Apple Pencilのドラッグでスクリーンショットを撮影

画面のスクリーンショットは、通常電源ボタンと音量を上げるボタンもしくはホームボタンの同時押しで撮影できるが、Apple Pencilを使えばもっと手軽に撮影できる。画面の左下または右下の角から、斜め上に向かってドラッグするだけでよい。

1 Apple Pencilで斜めにドラッグ

画面の左下または右下の角から、Apple Pencilで斜め上にドラッグ

Apple Pencil をを使ってスクリーンショットを撮るには、画面の左下または右下の角から、斜め上に向かってドラッグすればよい。

2 スクリーンショットを保存できる

すぐにスクリーンショットが撮影され、編集画面で画面内に書き込みもできる。「完了」→「"写真"に保存」で保存しよう。

04
ChromeやGmailに変更できる
標準のWebブラウザやメールアプリを変更する

iPadでURLやメールアドレスをタップすると、通常は「Safari」や「メール」アプリで開くが、これを別のアプリに変更することもできる。普段はChromeやGmailなど別のアプリを使っているなら、デフォルトアプリに設定しておこう。

1 設定でアプリを選択する

ここでは「Chrome」をタップ

「設定」を下にスクロールし、デフォルトに設定したいWebブラウザやメールアプリ名をタップしよう。ここでは「Chrome」をタップ。

2 デフォルトのアプリとして設定

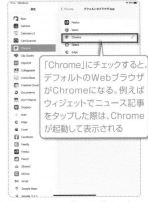

「Chrome」にチェックすると、デフォルトのWebブラウザがChromeになる。例えばウィジェットでニュース記事をタップした際は、Chromeが起動して表示される

「デフォルトのブラウザ App」→「Chrome」にチェックすると、デフォルトの Web ブラウザが Safari から Chrome に変更される。

05
シーン別に通知を制御する
集中モードで通知をコントロールする

集中して作業したい時にメールやSNSの通知が届くと、気が散って集中できなくなる。そこで設定しておきたいのが「集中モード」機能だ。仕事中や睡眠中、運転中といったシーン別に、自動で通知や着信をオフにできるほか、特定の連絡先やアプリのみ通知は許可したり、自動で有効にするトリガーを設定するなど、通知を細かく制御できる。なお集中モードは、コントロールセンターから素早くオンオフの切り替えが可能だ。

1 集中モードのシーンを選択

他の集中モードを追加する

利用したい集中モードを選択。「おやすみモード」と「睡眠」は似た項目だが、「睡眠」はiPhoneのヘルスケアアプリで設定した毎日の睡眠スケジュールと連動する設定。一時的に休憩したい時は「おやすみモード」を使おう

「設定」→「集中モード」をタップすると、「おやすみモード」や「仕事」などシーン別の集中モードが準備されているので、設定したいものをタップ。

2 各シーンの設定を済ませる

オンにする

現在集中モード中で通知を受け取れないことを相手に伝えたり、通知のバッジを非表示にしたり、ロック画面に表示させないといった細かな設定も可能

各シーンの一番上のスイッチをオンにすると、この集中モードが有効になる。自動的に有効にするスケジュールや場所を設定しておこう。

3 重要な通知は許可しておく

集中モード中に着信や通知を許可する連絡先を追加

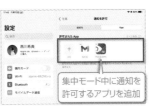

集中モード中に通知を許可するアプリを追加

集中モード中に特定の人やアプリの通知のみ許可するには、「通知を許可」欄の「連絡先」や「App」をタップ。それぞれ「＋」ボタンで追加しよう。

4 コントロールセンターで切り替え

タップ

↓

タップしてオンにする

集中モードは、コントロールセンターから手動でオン／オフを切り替えできる。「集中モード」ボタンをタップして、機能を有効にしたい集中モードをタップしよう。

06 SharePlay
「SharePlay」で映画や音楽を共有
FaceTimeの相手と音楽や動画を一緒に楽しむ

「FaceTime」（P064で解説）には、映画やドラマ、音楽などのコンテンツを、通話中の相手と一緒に視聴できる「SharePlay」機能が搭載されており、離れた人と同じ作品を見ながら盛り上がることができる。SharePlayはApple TVやApple Musicなどで利用できるほか、一部のサードパーティー製アプリも対応済みだ。なお有料サービスを共有する場合は、参加者それぞれが加入している必要がある。

● 同じ映画や音楽を一緒に楽しむための準備

FaceTime通話では、「SharePlay」機能を使って、通話中の相手と同じ映画や音楽などを楽しめる。ただしSharePlayを利用するには、メンバー全員が右にまとめた条件を満たしている必要がある

最新のOSが必要

「設定」→「一般」→「ソフトウェア・アップデート」で最新OSに更新しておく

SharePlayを利用するには、全員がiPadOS 15.1またはiOS 15.1以降に更新済みの必要がある。macOS Montereyも対応予定。

FaceTimeアプリで通話

FaceTimeアプリ同士で通話しよう

通話はFaceTimeアプリ同士で行う必要がある。Webブラウザで通話（P093で解説）するとSharePlayの画面は共有できない。

対応アプリが必要

App Storeの特集ページではSharePlay対応済みアプリの一部が紹介されている

SharePlayに対応したアプリが必要。Apple TVやApple Musicだけでなく、他社製のアプリでも対応したものがある。

有料サービスは加入が必要

有料サービスに未加入のユーザーには加入が求められる

SharePlayで再生した映画や音楽が有料サービスの場合は、相手も加入していないと画面を共有できない。

● SharePlayの使い方と画面共有

1 SharePlay対応アプリを起動する

ミュージックなど対応アプリを起動するとバナーが表示される

共有したい曲を再生して「SharePlay」をタップ。再生中の一時停止や早送りは全員で共有されるが、字幕や音量の変更は自分にだけ適用される

FaceTime通話中にSharePlay対応アプリを起動し、ビデオや音楽の再生を開始。続けて表示された画面で「SharePlay」をタップする。

2 通話相手も参加して一緒に楽しむ

タップ

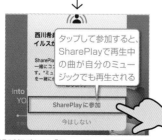

タップして参加すると、SharePlayで再生中の曲が自分のミュージックでも再生される

通話相手には「SharePlayに参加」という通知が届く。「開く」をタップするとSharePlay中のアプリが起動するので、「SharePlayに参加」で参加しよう。

3 SharePlayを終了する

タップ

「自分に対してだけ停止」をタップすると、自分だけ途中で視聴をやめて抜けられる。他のメンバーの画面では再生が継続される

画面右上の緑色のボタンをタップし、メニュー右端のボタンをタップ。「SharePlayを終了」で、全員または自分だけ再生を停止できる。

4 操作中の画面を共有する

通話中のメニューで右端のボタンをタップし、「画面を共有」をタップ

共有した相手の画面が表示される。リモート打ち合わせで一緒に資料を見たり、友人と写真を見せ合う場合などに利用しよう

ビデオや音楽を一緒に楽しむのではなく、FaceTime通話中に自分の画面を相手に見せることも可能だ。

07

FaceTime

Webブラウザ経由で参加できる

WindowsやAndroidともFaceTimeで通話する

P064で解説している通り、「FaceTime」はWindowsやAndroidユーザーとも通話が可能になっている。これにより、FaceTimeをオンラインミーティングなどに活用しやすくなった。FaceTimeで通話のリンクを作成してメールなどで招待すると、WindowsやAndroidユーザーはWebブラウザからログイン不要で通話に参加できる。ただしWebブラウザで通話に参加する場合は、ミー文字やSharePlayなど一部の機能が利用できない。

1 FaceTimeの招待リンクを送る

タップ

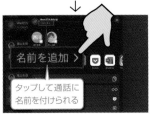

名前を追加 >

タップして通話に名前を付けられる

FaceTimeを起動したら「リンクを作成」をタップし、メールやメッセージで招待リンクを送信しよう。通話に名前もつけられる。

2 ホスト側で通話を開始する

タップ

タップして参加。FaceTimeアプリで通話する側は、ミー文字などを利用できる

招待リンクを送信したら、「今後の予定」欄に作成したFaceTime通話のリンクが表示されるのでタップ。続けて「参加」ボタンをタップしよう。

3 招待リンクにアクセスする

iPad打ち合わせ　受信トレイ　☆

西川希典 19:28
To: 自分
FaceTimeに参加してください

タップ

FaceTime
リンク

名前を入力して、チャットに参加しましょう。

青山　タップ

続ける

Androidスマホなどでは FaceTimeの招待リンクを受け取ったら、「FaceTimeリンク」をタップ。Webブラウザが起動するので、名前を入力して「続ける」をタップする。

4 ホスト側で参加を許可して通話

19:30　　　　　　　　　　　 90%

← FaceTime
facetime.apple.com　　< ⋮

FaceTime通話
青山として参加　　参加

タップ

タップして通話を開始

招待された側が Webブラウザで「参加」をタップすると、ホスト側に参加を求める通知が届く。緑色のチェックボタンをタップすると、通話が開始される。

08

メール

iCloud+で利用できるサービス

自分のアドレスを非公開にしてメールを送受信する

iCloudのストレージ容量を有料で購入（P035で解説）すると、いくつかの機能が追加された「iCloud+」にアップグレードされる。そのうちのひとつが「メールを非公開」機能だ。これはいわゆる使い捨てアドレス機能で、Webサービスやメルマガに登録する際に、ランダムなメールアドレスを作成できる。作成したアドレスに届くメールは、自動的にApple IDに関連付けられたメールアドレスに転送される。

1 Safariで「メールを非公開」をタップ

メールアドレスの入力欄をタップ

タップ　メールを非公開

Safariでメールアドレスの入力を求められたら、入力欄をタップ。するとキーボードの上部に「メールを非公開」が表示されるので、これをタップする。

2 ランダムなアドレスを作成する

何のアドレスか忘れないようにメモを入力しておく

タップ　使用

ランダムなメールアドレスが生成されるので、「メモ」欄に使用目的などをメモしておき、「使用」をタップしよう。

3 本来のメールアドレスに自動で転送される

新しいAmazonアカウントを確認します

宛先: メールを非公開 >

作成したアドレス宛に届いたメールは、自動的にApple IDに設定した本来のメールアドレスに届く。メールアプリで返信すると、差出人は非公開のアドレスになる。

4 作成したアドレスを管理する

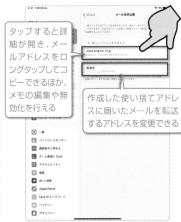

タップすると詳細が開き、メールアドレスをロングタップしてコピーできるほか、メモの編集や無効化を行える

作成した使い捨てアドレスに届いたメールを転送するアドレスを変更できる

作成したアドレスは、「設定」で一番上のApple IDを開き、「iCloud」→「メールを非公開」で確認できる。新しいメールアドレスを作成することも可能だ。

iPad活用テクニック

09

アクセサリ

カバーにもなるApple純正キーボード

文字入力が10倍はかどる 専用キーボード活用法

iPadは画面が広い分ソフトウェアキーボードも大きめで文字を入力しやすいが、画面の半分近くが隠れるし、平置きの入力は姿勢も疲れる。iPadでの書類作成やメール作業には、外部キーボードがあった方が快適だ。おすすめは、Apple純正でiPad用に設計された「Magic Keyboard」や「Smart Keyboard Folio」、「Smart Keyboard」だ。それぞれ機能が異なるだけでなく対応モデルも違うので、自分のiPadで使える製品を選ぼう。

角度は最大130度まで調整できる

少し浮いた状態でiPadを接続し、無段階で最大130度まで傾きを調整できる。またヒンジ部には、iPad充電専用のUSB Type-C端子を搭載する。

トラックパッドやバックライトを搭載

キーボード手前にはトラックパッドが搭載されており、新しいスタイルでiPadを操ることができる。またバックライトを内蔵するほか、キーストロークも1mmあって打ちやすい。

前面と背面を守る保護カバーにもなる

前面と背面を保護するカバーにもなる。ただしSmart Keyboard Folioのように、付けたままでキーボード部を背面に折り畳んで使うことはできない。

Magic Keyboard

対応モデル
iPad Air(第4世代)、
12.9インチiPad Pro
(第3、4、5世代)、
11インチiPad Pro
(第1、2、3世代)
価格 34,980円、
41,580円(税込)

> トラックパッド付きキーボードの便利な点は、iPadの画面をタッチ操作したい時に、いちいちキーボードから手を離さずに済むところ。トラックパッドに手を置くと画面上にカーソルが表示され、これをドラッグして画面をタップできるので、iPadの操作が手元で完結する。また複数の指を使えば、ロングタップメニューを表示したり、ホーム画面に戻ったり、アプリを切り替えることも可能だ

● その他のiPad専用キーボード

> 使わない時は前面&背面を守る保護カバーになる専用キーボード

Smart Keyboard Folio

対応モデル
iPad Air(第4世代)、
12.9インチiPad Pro
(第3、4、5世代)、
11インチiPad Pro
(第1、2、3世代)
価格 21,800円、
24,800円(税込)

> 使わない時は前面を守る保護カバーになる専用キーボード

Smart Keyboard

対応モデル
iPad(第7、8、9世代)、
iPad Air(第3世代)、
10.5インチiPad Pro
価格 18,800円(税込)

● Apple純正キーボードに共通する便利な機能

1 ペアリング不要のワンタッチ着脱

> この小さな端子を合わせて磁石で吸着するだけ

Bluetoothキーボードと違い、iPad専用キーボードはペアリングも電源も不要となっている。iPadの本体にある小さなコネクタを、iPad専用キーボードのコネクタと磁石で吸着するだけで利用できる。

2 豊富なショートカットが便利

> 「command + C」を押してコピー

iPadで「command」や「control」、「option」キーを使えるのは大きな魅力。これらのキーを使ったキーボードショートカットを覚えておけば、テキスト入力時などの作業効率が格段にアップするはずだ。

3 ロック解除がスムーズ

> カバーを開くだけでロックを解除できる

Face ID対応のiPadならロック解除も非常にスマート。カバーを開くか、何かキーを押すとスリープから復帰し、そのままFace IDによりすぐロックが解除される。さらに何かキーを押すだけでホーム画面が開く。

4 ソフトウェアキーボードも使える

> タップ

アクセント記号付きの文字入力などはソフトウェアキーボードが便利。外部キーボード使用中に表示されるメニューバーのキーボード切り替えボタンをタップし、「キーボードを表示」をタップして表示しよう。

● キーボードで使える主なショートカットキー

システム

🌐 + H	ホーム画面へ移動
Command + 空白	検索
Command + Tab	Appを切り替える
🌐 + A	Dockを表示
Shift + 🌐 + A	Appライブラリを表示

マルチタスク

🌐 + ↑	Appスイッチャー
🌐 + ↓	すべてのウインドウを表示
🌐 + ←	前のApp
🌐 + →	次のApp

Split View

Control + 🌐 + ←	ウインドウを左側にタイル表示
Control + 🌐 + →	ウインドウを右側にタイル表示

Slide Over

Option + 🌐 + ←	左のSlide Overに移動
Option + 🌐 + →	左のSlide Overへ移動

アプリ

📝 メモ

Command + N	新規メモ
Command + Z	取り消す
Command + C	コピー
Command + V	ペースト

✉️ メール

Command + N	新規メッセージ
Command + R	返信
Shift + Command + R	全員に返信
Shift + Command + F	転送

🧭 Safari

Command + T	新規タブ
Command + W	タブを閉じる
Command + F	ページを検索
Command + R	ページを再読み込み

📅 カレンダー

Command + N	新規イベント
Command + F	検索
Command + T	今日を表示
Command + R	カレンダーを更新

● POINT 現在の画面で使えるショートカットの確認方法

ショートカットキーはさまざまな操作で割り当てられているが、すべて覚えておく必要はない。🌐（地球儀キー）を長押しすればシステム全体のショートカットキーが一覧表示され、commandキーを長押しすれば起動中のアプリのショートカットキーが一覧表示される。テキストを選択した状態など、アプリの状況によっても表示されるショートカットキーは変わる。

🌐 か Command を長押し

タップしてカテゴリを切り替えできる

● サードパーティー製のiPad向けおすすめキーボード

他社製のBluetoothキーボードも使える

Apple純正のiPad専用キーボードは非常に洗練された製品だが、いかんせん高額だ。特にトラックパッド付きのMagic Keyboardは3万円以上もする。また、古いモデルのiPadにはそもそも対応していない。もっと手頃な価格でiPad向けのキーボードを使いたいなら、サードパーティー製のiPad対応キーボードに目を向けてみよう。Bluetooth接続でトラックパッドも備えて5,000円以下のキーボードや、トラックパッドが不要ならより軽量で安価な製品もある。

サンワダイレクト タッチパッド付き Bluetoothキーボード 400-SKB066
実勢価格 4,980円（税込）

お手頃価格でトラックパッドを利用したいなら、このBluetoothキーボードがおすすめ。3台の機器をワンタッチで切り替えできる、マルチペアリング機能も搭載している。Magic Keyboard非対応のiPadでも利用可能だ。

Anker ウルトラスリム Bluetooth ワイヤレスキーボード
実勢価格 2,000円（税込）

iPadOS や iOS、Android、Mac、WindowsとマルチデバイスにСに対応する、軽量コンパクトなキーボード。ただしUSキーボードなので、日本語キーボードとは少しキー配列が違う点に注意。

10 セキュリティ
ロック画面を中心に設定を見直す
プライバシーを完全保護するセキュリティ設定

iPadは、プライバシー情報が漏れないようにさまざまなセキュリティ機能が搭載されているが、それでも万全ではない。例えば、ロックを解除しない状態でも通知の内容が表示されたり、Siriが他人の声で反応してしまうことがある。利便性を重視するならそのままの設定でよいが、プライバシー保護を優先するなら、各種設定を変更しておく必要がある。使いやすさとセキュリティのバランスを考えて、設定を見直してみよう。

●はじめにチェックしておきたい設定項目

1 | ロック画面での各種情報へのアクセスを制限

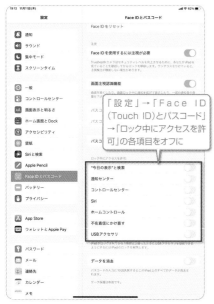

「設定」→「Face ID (Touch ID)とパスコード」→「ロック中にアクセスを許可」の各項目をオフに

標準状態だとロックを解除しなくても通知やウィジェット、Siriにアクセスできる。通知内容を見られたくない場合や、ウィジェットにスケジュールやプライバシー情報が表示されている場合は、ロック画面からのアクセスをオフにするか表示を適切に設定しよう。

2 | ロック画面での通知を適切に設定する

ロック画面

「設定」→「通知」でアプリを選び、「ロック画面」をオフに。同じ画面の「プレビューを表示」で「しない」もしくは「ロックされていないときのみ」を選べば、ロック画面にメールの内容などが表示されなくなる

ロック画面での通知を完全にオフにしたい場合は、対象アプリの通知設定で「ロック画面」をオフに。過去の通知を表示させたくない場合は、手順1の設定を行う。通知は必要だが内容を見られるのは困る…といった場合は、「プレビューを表示」を「しない」に設定すればよい。

3 | ロック中でも安全にSiriを使う設定

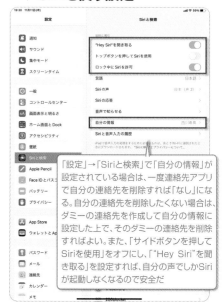

「設定」→「Siriと検索」で「自分の情報」が設定されている場合は、一度連絡先アプリで自分の連絡先を削除すれば「なし」になる。自分の連絡先を削除したくない場合は、ダミーの連絡先を作成して自分の情報に設定した上で、そのダミーの連絡先を削除すればよい。また、「サイドボタンを押してSiriを使用」をオフにし、"Hey Siri"を聞き取る」を設定すれば、自分の声でしかSiriが起動しなくなるので安全だ

最新のiPadOSのロック画面では、他人がSiriを使って電話番号などを表示させることはできない。ただし、「自分の情報」に自分の連絡先を設定していると、「私の名前は？」という問いかけで名前が表示されてしまう。気になるなら設定を見直しておこう。

●さらに細かく設定を見直そう

4 | ロックまでの時間を短く設定する

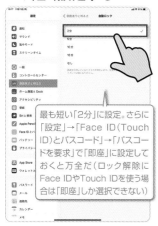

最も短い「2分」に設定。さらに「設定」→「Face ID(Touch ID)とパスコード」→「パスコードを要求」で「即座」に設定しておくと万全だ（ロック解除にFace IDやTouch IDを使う場合は「即座」しか選択できない）

一定時間操作しない時にロックがかかるまでの時間は短いほど安全。セキュリティ重視なら「設定」→「画面表示と明るさ」→「自動ロック」で「2分」に設定しよう。

5 | パスコードを複雑にしてセキュリティを強化

「設定」→「Face ID(Touch ID)とパスコード」→「パスコードを変更」で、新しいパスコード入力時に「パスコードオプション」をタップ。「カスタムの英数字コード」を選択しよう

ロック解除のパスコードは、標準では6桁の数字を使用するが、アルファベットも混在させたものに変更すると、セキュリティを劇的に強化できる。

6 | AirDropの使用を制限しておく

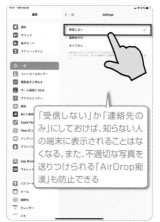

「受信しない」か「連絡先のみ」にしておけば、知らない人の端末に表示されることはなくなる。また、不適切な写真を送りつけられる「AirDrop痴漢」も防止できる

AirDropを有効にしていると、知らない人のiPhoneやiPadに自分の名前が表示されることも。「設定」→「一般」→「AirDrop」で設定を確認しておこう。

7 | iPadの表示名を変更する

「設定」→「一般」→「情報」→「名前」で個人情報が含まれない名前に変更しよう

iPadに設定している名前は、テザリング使用時やAirDropの検出時に表示され、他人に知られてしまうこともある。気になるなら、設定で変更しておこう。

11 パスワード管理

パスワードを自動で入力
パスワードの管理はiPadにまかせてしまおう

iPadでは、一度ログインしたWebサイトやアプリのIDとパスワードを「iCloudキーチェーン」に保存し、次回からはワンタップで呼び出して素早くログインできる。他にも、Webサービスなどの新規登録時に強力なパスワードを自動生成したり、セキュリティに問題のあるパスワードを警告したりできる。「1Password」など他社製パスワード管理アプリと連携できる機能も備えているので、ぜひ活用しよう。

●iPadでパスワードを作成・管理する

1 自動生成されたパスワードを使う

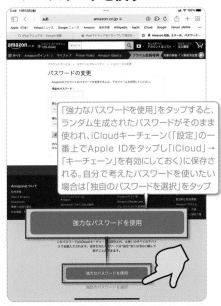

「強力なパスワードを使用」をタップすると、ランダム生成されたパスワードがそのまま使われ、iCloudキーチェーン（「設定」の一番上でApple IDをタップし「iCloud」→「キーチェーン」を有効にしておく）に保存される。自分で考えたパスワードを使いたい場合は「独自のパスワードを選択」をタップ

一部のWebサービスやアプリでは、新規登録時にパスワード欄をタップすると、強力なパスワードが自動生成され提案される。このパスワードを使うと、そのままiCloudキーチェーンに保存される。

2 ログインに使ったIDやパスワードを保存する

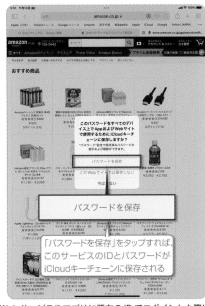

「パスワードを保存」をタップすれば、このサービスのIDとパスワードがiCloudキーチェーンに保存される

Webサービスやアプリに既存のIDでログインした際は、そのログイン情報をiCloudキーチェーンに保存するかどうかを聞かれる。保存しておけば、次回以降は簡単にIDとパスワードを呼び出せるようになる。

3 パスワードの脆弱性を自動でチェックする

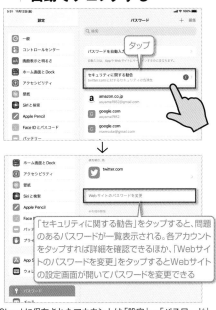

「セキュリティに関する勧告」をタップすると、問題のあるパスワードが一覧表示される。各アカウントをタップすれば詳細を確認できるほか、「Webサイトのパスワードを変更」をタップするとWebサイトの設定画面が開いてパスワードを変更できる

iCloudに保存されたアカウントは「設定」→「パスワード」で確認できる。また「セキュリティに関する勧告」をタップすると、漏洩の可能性があるアカウントや、複数のアカウントで使い回されているパスワードが表示され、その場でパスワードを変更できる。

●保存したパスワードで自動ログインする

1 自動入力をオンにし他の管理アプリも連携

「設定」→「パスワード」→「パスワードを自動入力」のスイッチをオンにしておく。また「1Password」「Chrome」などのパスワード管理アプリやWebブラウザにチェックしておけば、それぞれに保存したアカウントを使って、他のアプリでも自動入力できる

設定で「パスワードを自動入力」のスイッチをオンにし、「1Password」など他のパスワード管理アプリを使う場合はチェックを入れ連携を済ませておこう。

2 候補をタップするだけで入力できる

iCloudキーチェーンや1Passwordに保存されたアカウントの中から、最適と判断された候補が表示される

Webサービスやアプリでログイン欄をタップすると、キーボード上部にアカウントの候補が表示され、タップするだけでID／パスワードを自動入力できる。

3 候補以外のパスワードを選択する

別のアカウントを選ぶ。他のパスワード管理アプリを呼び出すこともできる

表示された候補とは違うアカウントを選択したい場合は、候補右の鍵ボタンをタップ。このサービスで使う、他の保存済みアカウントを選択して自動入力できる。

4 パスワードを変更した場合は

パスワードを変更した際は、保存した情報のアップデートを求められる。「パスワードをアップデート」をタップしてiCloudキーチェーンの情報を更新しよう。

iPad活用テクニック

12 Siri
どんどん賢くなる音声アシスタント
Siriの真価を引き出す隠れた利用法

電源ボタンの長押しや「Hey Siri」の呼びかけで起動する音声アシスタント機能「Siri」は、バージョンアップのたびに機能が追加され、より賢く便利になっている。「明日の天気は？」や「母親に電話をかけて」など音声で情報を検索したりアプリを操作できるほか、日本語から英語に翻訳したり、パスワードを調べてもらうなど、さまざまな使い方ができるのでぜひ覚えておこう。Siriは「設定」→「Siriと検索」で有効にできる。

日本語を英語に翻訳

「（翻訳したい言葉）を英語にして」と話しかけると、日本語を英語に翻訳し、音声で読み上げてくれる。

パスワードを調べる
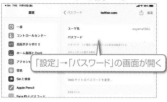
「（Webサービスやアプリ）のパスワード」と話しかけると、iCloud キーチェーンに保存されたパスワードを教えてくれる。

通貨を変換する

例えば「60ドルは何円？」と話しかけると、最新の為替レートで換算してくれる。また各種単位換算もお手の物だ。

流れている曲名を知る

「この曲は何？」と話しかけ、音楽を聴かせることで、今流れている曲名を表示させることができる。

曲をリクエスト

「おすすめの曲をかけて」などで曲を再生してくれる。Apple Music を利用中なら、Apple Music 全体から選曲する。

リマインダーを登録

「8時に○○に電話すると覚えておいて」というように、「覚えておいて」と伝えると、用件をリマインダーに登録してくれる。

アラームを全て削除

ついついアラームを大量に設定してしまう人は、Siri に「アラームを全て削除」と話しかければ簡単にまとめて削除できる。

「さようなら」で終了

Siri を終了させるには電源ボタンやホームボタンを押せばよいが、「さようなら」と話しかけることでも終了可能だ。

13 操作自動化
面倒な操作をまとめて実行
よく行う操作を素早く呼び出すショートカット

iPadで行う複数の操作をまとめて自動実行するためのアプリが、標準インストールされている「ショートカット」だ。他の標準アプリとの連携はもちろん、TwitterやEvernote、Dropboxなど、一部の他社製アプリとも連携できる。まずは「ギャラリー」画面のショートカットを登録すると、どんな事ができるかイメージしやすいだろう。変数や正規表現を使った、より複雑なショートカットも自作できる。

1 ギャラリーからショートカットを取得

サイドバーの「ギャラリー」を開くと、Apple が用意したショートカットが一覧表示される。まずはこれらのショートカットを追加して使ってみるのがいいだろう。

2 マイショートカットで管理する
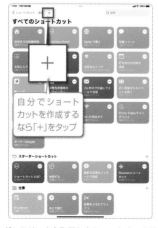
ギャラリーから取得したショートカットは、「すべてのショートカット」画面で管理する。上部の「＋」ボタンで、自分で一からショートカットを作成することも可能。

3 特定条件で自動実行するオートメーション

「オートメーション」画面では、時刻や場所や設定などの指定条件を満たした時に、自動的に実行するショートカットを作成できる。

4 ショートカットを実行する

ショートカットは、Siri の音声や作成したアイコン、共有メニューのほか、ウィジェットからも実行できる。ウィジェットはホーム画面の好きな場所に配置しておこう。

14

テキスト認識

電話発信やメール作成も可能

写真に写っているテキストを認識して利用する

iPadでは、写真アプリ内の写真や、カメラを向けた画面内の文字、Safariで開いたWebページの画像、手書き文字などを認識し、コピペしたり翻訳できる（今のところ日本語は非対応でコピペしても文字化けする）ほか、電話番号やメールアドレスをタップして電話をかけたりメールを作成することができる。またホーム画面を下にスワイプして表示される検索欄でキーワード検索すると、写真に写った文字も検出される。

1 テキスト認識表示の機能を有効にする

オンにしておく

テキスト認識表示の機能を利用するには、「設定」→「一般」→「言語と地域」→「テキスト認識表示」がオンになっている必要がある。

2 写真アプリで写真の文字を認識

選択してコピーや翻訳ができる。ただし日本語は正しく認識せず、コピペしても文字化けする

タップ

写真アプリで写真を開き、右下のテキスト認識ボタンをタップしよう。写真内の文字が認識され、コピーや翻訳が可能になる。

3 カメラの画面内の文字を認識

テキスト認識ボタンをタップ

電話番号などはリンク表示になり、タップして発信できる

カメラを向けた画面内の文字も認識する。手書き文字の認識も可能だ。また電話番号やURLをタップすると、電話をかけたりWebページにアクセスできる。

4 Safariで開いた画像の文字を認識

テキストを表示

タップ

Safariで開いたWebページの画像内にある文字を認識

Safariで開いたWebページの画像内にある文字を認識するには、画像をロングタップして「テキストを表示」をタップすればよい。

15

AirDrop

iPadやiPhoneで使える共有機能

AirDropで他のユーザーと簡単にデータを送受信

「AirDrop」機能を使えば、近くのiPadやiPhone、Macと手軽に写真や連絡先などのデータを送受信できる。自分のiPhoneやMacにデータを送りたいときにも便利な機能だ。利用するには、双方の端末が近くにあり、それぞれWi-FiとBluetoothがオンになっている必要がある。ただしAirDropを有効にすると、設定しているiPadの名前が漏洩するなどのリスクもある。気になる場合は、P096を確認し設定を変更しよう。

1 受信側でAirDropの検出を許可する

「連絡先のみ」は連絡先に登録された相手からのみAirDropの受信を許可する。「すべての人」は連絡先に登録されていない相手からも受信を許可する。コントロールセンターでWi-Fiなどの設定欄をロングタップし、AirDropボタンをタップして受信設定を変更することもできる

AirDropでファイルを受信可能な状態にするには、「設定」→「一般」→「AirDrop」で「連絡先のみ」か「すべての人」にチェックしておく必要がある。

2 送信側で送りたいデータを選択する

共有ボタンをタップ

写真を送信したい場合は、写真を選択した状態で共有ボタンをタップ。複数同時に送信することも可能。連絡先の場合は、各連絡先の「連絡先を送信」をタップしよう。

3 共有メニューで相手の名前をタップ

タップ

タップ

相手がAirDropでファイルを受信できる設定になっていれば、共有メニューのAirDropボタンをタップすると名前が表示されるので、タップして送信しよう。

4 受信側でデータを受け入れる

タップ

受け入れる

受け取った側は「受け入れる」をタップすれば受信できる。なお、同じApple IDを使ったiPhoneやMacから送った場合はこの画面は表示されず、自動的に受信される。

iPad活用テクニック

16 メッセージ
メッセージ画面を左にスワイプ
メッセージの詳細な送受信日時を確認する

メッセージアプリで、同じ相手と短時間に連続してやりとりすると、最初のメッセージの上部にしか送受信時刻が表示されない。残りのメッセージの送受信時刻を確認するには、画面を左にスワイプしよう。吹き出し横で送受信時刻を確認できる。

1 | メッセージの画面を左にスワイプする

連続してやり取りしたメッセージの送受信時刻は、表示されないだけで、きちんと記録されている。これを確認するには、メッセージ画面を左にスワイプすればよい。

2 | 吹き出しの横で送受信時刻を確認

それぞれの吹き出しの右端に、送受信時刻が表示されるはずだ。指を離せば、送受信時刻が隠れて元の画面に戻る。

17 画面録画
操作中の画面を録画できる
iPadの画面の録画機能を利用する

iPadには画面収録機能が用意されており、アプリやゲームなどの映像と音声を動画として保存できる。またマイクをオンにしておけば、画面の録画中に自分の声も録音できるので、ゲーム実況やアプリの解説動画を作るのにも使える。

1 | 画面収録を追加して画面を録画する

「設定」→「コントロールセンター」で「画面収録」を追加しておくと、コントロールセンターの画面収録ボタンで表示中の画面を録画できる。

2 | マイクのオンと画面収録の停止

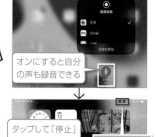

画面録画ボタンをロングタップし、「マイク」をオンにすると、自分の声も収録されるようになる。収録を終了するには、画面右上の赤いマークをタップ。

18 電話
iPadから電話の発信も可能
iPhoneの電話をiPadから利用する

iPadには電話機能がないが、iPhoneも持っているなら、iPhoneにかかってきた電話をiPadで受けたり、iPadのFaceTimeアプリからiPhoneを経由して固定電話や携帯電話に電話をかけるといったことができる。iPadとiPhoneで同じApple IDを使ってiCloudとFaceTimeにサインインし、同じWi-Fiに接続。さらに、いくつかの設定を済ませれば利用可能となる。「あとで通知」やテキストメッセージでの返信も行える。

1 | 同じApple IDでサインイン

まずiPhoneとiPadの両方で同じApple IDを使ってiCloudとFaceTimeにサインインしておこう。また、同じWi-Fiネットワークに接続しておく必要がある。

2 | iPadの設定を有効にする

続けて、iPad側の事前設定を済ませる。「設定」→「FaceTime」を開き、「iPhoneから通話」のスイッチをオンにしておこう。

3 | iPhoneの設定を有効にする

また、iPhone側では「設定」→「電話」→「ほかのデバイスでの通話」で「ほかのデバイスでの通話を許可」をオンにし、通話を許可の「iPad」もオンにする。

4 | iPhoneを経由してiPadで通話ができる

以上で準備は完了。iPadのFaceTimeアプリからiPhone経由で電話したり、iPhoneにかかってきた電話をiPadでも着信して応答できるようになる。

19 ストレージ
足らなくなったらココをチェック
容量不足を解決するデータ削除術

iPadの空き容量が少ないなら、「設定」→「一般」→「iPadストレージ」を開こう。iPadの空き容量を増やすための方法が提示され、簡単に不要なデータを削除できる。使用頻度の低いアプリを書類とデータを残しつつ削除する「非使用のAppを取り除く」や、ゴミ箱内の写真を完全に削除する「"最近削除した項目"アルバム」、サイズの大きいビデオを確認して削除できる「自分のビデオを再検討」などの実行がおすすめだ。

1 非使用のアプリを自動的に削除する

「有効にする」をタップすると、使っていないアプリは削除されるが、アプリ内の書類とデータは残る。アプリを再インストールするとデータは元に戻る

非使用のAppを取り除く　　有効にする

この画面に表示されない場合は、「設定」→「App Store」→「非使用のAppを取り除く」をオンにする

「設定」→「一般」→「iPad ストレージ」→「非使用の App を取り除く」の「有効にする」をタップ。iPad の空き容量が少ない時に、使っていないアプリを削除する。

2 最近削除した項目アルバムから完全削除

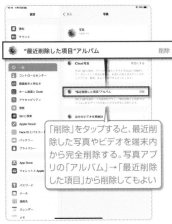

"最近削除した項目"アルバム　　削除

「削除」をタップすると、最近削除した写真やビデオを端末内から完全削除する。写真アプリの「アルバム」→「最近削除した項目」から削除してもよい

同じく「iPad ストレージ」画面で「写真」をタップ。"最近削除した項目"アルバム」の「削除」で、端末内に残ったままの削除済み写真を完全に削除できる。

3 サイズの大きい不要なビデオを削除する

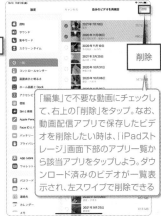

削除

「編集」で不要な動画にチェックして、右上の「削除」をタップ。なお、動画配信アプリで保存したビデオを削除したい時は、「iPadストレージ」画面下部のアプリ一覧から該当アプリをタップしよう。ダウンロード済みのビデオが一覧表示され、左スワイプで削除できる

「iPad ストレージ」画面で「写真」→「自分のビデオを再検討」をタップすると、端末内のビデオがサイズの大きい順に表示されるので、不要なものを消そう。

○ POINT
その他の不要なデータもチェック

●曲を自動的に削除
Apple Musicの利用中は、「設定」→「ミュージック」→「ストレージを最適化」をオンにしておくと、しばらく再生していない曲を自動的に削除してくれる。

●保存した動画を削除
Amazonプライムビデオなどで、オフラインで再生できるようダウンロードした映画やTV番組は、見終わったら削除。

●保存した電子書籍を削除
Kindleなどでダウンロードした電子書籍も、読み終わったら削除しておこう。

---

20 ファイル操作
ロングタップで簡単に移動できる
別のアプリへファイルやテキストをドラッグ&ドロップする

2つのアプリ間でファイルや写真、テキストをコピー&ペーストしたい場合は、2本の指を使う操作を覚えておこう。ファイルを選択しロングタップした状態で、他の指を使って別のアプリを起動すると、ドロップ&ドロップで貼り付けできる。

1 ロングタップして少し動かす

ロングタップして少し動かし、指を離さない。ファイルや写真は、別の指で他のファイルをタップして、複数選択することも可能だ

たとえばテキストをメールにコピーしたいなら、まずテキストを選択してロングタップ。少し指を動かすと浮いた状態になるので、そのまま指をキープする。

2 別の指で起動したアプリに受け渡す

他の指で開いたメール作成画面にドロップ。なお、2本の指を使わなくても、Split View（P028で解説）などで2つのアプリの画面を同時に表示させて、ドロップ&ドロップでコピーする方法もある

別の指でホーム画面に戻り、メールなど他のアプリを起動する。あとはロングタップしたテキストをメールの作成画面にドロップすれば貼り付けできる。

---

21 SIM
セルラー版のiPadをお得に使おう
iPadに最適なモバイル通信プラン

セルラーモデルのiPadなら、外出先でも自由にモバイルデータ通信を利用できるが、もちろん通信プランの契約が必要だ。iPadであまりデータ通信を使わないなら、1GBまでなら無料で使える楽天モバイルの「Rakuten UN-LIMIT VI」がおすすめ。

1 楽天モバイルなら1GBまで無料

ドコモやau、ソフトバンクで購入したキャリア版iPadで楽天モバイルの回線を使うには、あらかじめSIMロックを解除しておく必要がある。Appleストアなどで購入したSIMフリー版iPadならSIMロック解除は不要だ

「Rakuten UN-LIMIT VI」は月 1GB までなら無料。使いすぎても最大で月 3,278円なので、いざという時だけ iPad でモバイル通信を使いたいなら最適のプランだ。

2 eSIMでも契約できる

契約時に「eSIM」を選択し、「AIかんたん本人確認（eKYC）」で手続きを進めると SIMカードの到着を待つ必要もなく、iPad 上の設定だけで即日開通できる

比較的最近の iPad なら、本体内部に eSIM のチップを備えている。楽天モバイルで eSIM のプランを契約すれば、物理的な SIM カードを使わずモバイル通信できる。

iPad活用テクニック

101

22 LINE
iPhoneと同じアカウントで使える
iPadでもLINEを利用しよう

通常、LINEはひとつのアカウントにつきひとつの端末でしか使えないが、iPad版のLINEでは、iPhoneやスマートフォンと同じLINEアカウントでログインして、同時に利用することができる。iPhoneのLINEが使えなくなった場合に、非常用としてiPadでも確認できるので、ぜひ活用しよう。あらかじめiPhoneやスマートフォンのLINEで生体認証ログインを許可しておけば、スマートフォン側の顔や指紋認証でログインできる。

1 スマホ版LINEで生体認証を許可

タップして許可。「連携解除」と表示されていればよい

iPhone やスマートフォンの LINE で、「ホーム」→「設定」→「アカウント」→「Face ID」（または Touch ID や生体情報）をタップして「許可する」をタップ。

2 iPad版LINEで電話番号を入力

タップ

タップすると、QRコードの読み取りやメールアドレスなど他の方法でログインできる

iPad 版 LINE を起動したら、LINE アカウントに登録している電話番号を入力して「スマートフォンを使ってログイン」をタップする。

3 初回ログイン時は認証番号が必要

タップ

生体認証で初めてログインする場合は、「認証番号を確認する」をタップする必要がある。6 桁の認証番号が表示されるので確認しよう。

4 スマホ版LINEで認証を済ませる

他の端末でログインしますか？

6桁の認証番号を入力。2回目以降のログインは、iPad版LINEアプリに電話番号を入力して「スマートフォンを使ってログイン」をタップすると、スマホ版LINEの顔認証や指紋認証を済ませるだけでログインできる

スマホ版 LINE で「ホーム」→「設定」→「アカウント」→「他の端末と連携」をタップし 6 桁の数字を入力すると、iPad 版 LINE でログインされる。

---

23 Wi-Fi
端末同士を近づけるだけでOK
Wi-Fiのパスワードを一瞬で共有する

iPadやiPhone、Mac相手なら、自分の端末に設定されているWi-Fiのパスワードを一瞬で相手の端末にも設定できる。操作手順は簡単だが、利用条件として、お互いのApple IDのメールアドレスがお互いの連絡先に登録されている必要がある。

1 Wi-Fiのパスワード入力画面を表示

パスワード入力画面を開く

Wi-Fi 接続したい iPhone や iPad で、「設定」→「Wi-Fi」を開き、接続するネットワーク名をタップ。パスワード入力画面を表示する。

2 パスワードを共有をタップ

タップすると相手のデバイスがWi-Fiに接続される。なお、同じApple IDのデバイス同士では、iCloudキーチェーンにWi-Fiパスワードが保存されている（「設定」の一番上でApple IDをタップし「iCloud」→「キーチェーン」がオンのとき）ので、片方のデバイスでWi-Fiに接続中なら、自動的にもう片方でも同じWi-Fiに接続できる

Wi-Fi パスワード設定済みの自分の端末を相手端末に近づけると、このような画面が表示される。「パスワードを共有」をタップすれば、一瞬で接続が完了する。

---

24 Safari
見えない部分も含めて保存する
Webサイトのページ全体をPDFで保存する

Safariなどで開いたWebページのスクリーンショットは、表示中の画面を画像として保存するほかに、見えない部分も含めたページ全体を丸ごとPDFファイルとして保存できる。マークアップ機能でページ内に注釈を書き込むことも可能だ。

1 スクショのプレビューをタップ

電源／スリープボタンと音量の上げるボタン（もしくはホームボタン）を同時に押してスクリーンショットを撮影し、左下のプレビューをタップ

全体を保存したい Web ページを表示し、通常通りスクリーンショットを撮影しよう。画面左下にプレビューが表示されるので、これをタップする。

2 フルページにしてPDFとして保存

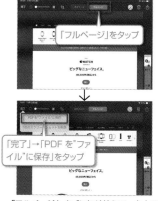

「フルページ」をタップ

「完了」→「PDF を"ファイル"に保存」をタップ

「フルページ」タブに切り替えて、左上の「完了」をタップし、「PDF を"ファイル"に保存」をタップ。端末内や iCloud ドライブに PDF ファイルとして保存できる。

25 Sidecar

Sidecar機能でMacの画面を拡張

iPadをMacのサブ
ディスプレイとして利用する

Macを持っているなら、ぜひ利用したい機能が「Sidecar」だ。iPadの画面をMacの2台目のディスプレイとして使えるので、単純に作業スペースが広がるし、MacのアプリをiPadのApple Pencilで操作できるようにもなる。両方のデバイスで利用条件さえ整っていれば、Macのコントロールセンターから簡単に接続が可能だ。Macの表示エリアを拡張する使い方と、Macの画面をミラーリングする使い方の2通りがある。

● 個別のディスプレイとして使用

画面を広く使える

iPadの画面がMacの画面の拡張エリアとなり、マウスポインタを行き来させて操作できる

iPad の画面を Mac の画面の延長として使うモード。余分なウインドウを iPad 側に置いて画面を広く使えるほか、Mac の画面にはアプリのメイン画面だけ配置して、ツールやパレットを iPad 側に配置したり、ファイルを 2 つ開いて見比べながら作業したい時にも便利。

● 内蔵Retinaディスプレイをミラーリング

ペンタブレット化できる

Macの画面と同じ内容がiPadの画面にも表示される

Mac と同じ画面を iPad にも表示するモード。プレゼンなどで相手に同じ画面を見せたい時などに役立つほか、iPad をペンタブレット化できる点も便利。Mac でイラストアプリを起動し、iPad 側では Apple Pencil を使ってイラストを描ける。

右側縦書き：iPad活用テクニック

Sidecarの利用条件
- macOS Catalina以降をインストールしたMac
- iPadOS 13以降およびApple Pencil（第1世代、第2世代どちらでも）に対応したiPad
- 両方のデバイスとも同じApple IDでサインイン
- ワイヤレスで接続する場合は、10メートル以内に近づけ、両デバイスでBluetooth、Wi-Fi、Handoffを有効にする。また、iPadはインターネット共有を無効にする
- ケーブルで有線接続する場合は、両デバイスともBluetooth、Wi-Fi、Handoffがオフでもよい。iPadでインターネット共有中でも利用できるが、その場合iPadのWi-FiとBluetoothはオンにする必要がある

○ POINT

iPadの画面はApple Pencilで操作できる

Sidecarで接続中は、iPadの画面を指でタッチ操作できないが、Apple Pencilを使う場合のみタッチ操作できる。イラストを描いたり手書き文字を入力することもできるので、Sidecarを使うならApple Pencilもあったほうが便利だ。

● iPadをサブディスプレイとして使う手順

1 コントロールセンターのディスプレイから接続

クリック

Mac のメニューバーからコントロールセンターを開いて、「ディスプレイ」をクリック。続けて「接続先：」欄に表示されている iPad 名をクリックすると、Sidecar で iPad に接続できる。

2 ディスプレイの接続方法を選択する

どちらかを選択

Mac の画面の延長先に iPad の画面があるように使うなら「個別のディスプレイとして使用」を選択。Mac と同じ画面を iPad に表示させるなら「内蔵 Retina ディスプレイをミラーリング」を選択しよう。

3 Sidecarの接続を解除する

クリック

Mac のメニューバーから Sidecar ボタンでメニューを開いて接続中の iPad 名をクリックするか、iPad のサイドバーにある接続解除ボタンをタップすると、Sidecar の接続を解除できる。

4 Sidecar利用中にiPadアプリを使う

タップすると Sidecar の画面に戻る

Sidecar を利用中でも、ホーム画面に戻れば iPad のアプリを利用することが可能だ。Dock に表示される Sidecar のアイコンをタップすると、Sidecar の画面に戻る。

26 Dropbox
Dropboxでデスクトップを同期
パソコン上のファイルをいつでもiPadで扱えるようにする

会社のパソコンに保存した書類をiPadで確認したり、途中だった作業をiPadで再開したい場合は、クラウドサービスのDropboxを利用しよう。特に、仕事上のあらゆるファイルをデスクトップ上に保存している人は、Dropboxの「パソコンのバックアップ」機能をおすすめしたい。パソコンのデスクトップ上のフォルダやファイルが丸ごと自動同期されるので、特に意識しなくても、会社で作成した書類をiPadでも扱えるようになる。

1 Dropboxの基本設定を開く

パソコンにDropboxをインストールすると、システムトレイにDropboxアイコンが常駐するので、これをクリック。続けて右上のユーザーボタンで開いたメニューから「基本設定」をクリックする。

2 バックアップの設定ボタンをクリック

Dropboxの基本設定画面が開くので、「バックアップ」タブをクリック。続けて「このPC」欄にある「設定」ボタンをクリックしよう。

3 バックアップフォルダを作成する

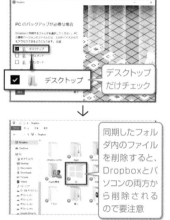

仕事の書類をデスクトップのフォルダで整理しているなら、「デスクトップ」だけチェックして設定を進めよう。Dropboxの「PC」→「Desktop」フォルダに、パソコンのデスクトップにあるファイルやフォルダがすべて同期される。

4 Dropboxアプリでアクセスする

iPadのDropboxアプリで「PC」→「Desktop」フォルダを開くと、会社のパソコンでデスクトップなどに保存した書類を確認できる。

---

27 Handoff
あっという間に連携できる
iPadとiPhoneで操作中の作業を相互に引き継ぐ

「Handoff」機能を使えば、iPadで作成中のメモやメールをiPhoneで引き継いで続きを入力するといった連携作業を簡単に行える。もちろん、iPhoneで行っている作業をiPadへ引き継ぐこともできる。Handoffを利用するには、iPadとiPhoneが同じApple IDでiCloudにサインインしており、HandoffとBluetooth、Wi-Fiがオンになっている必要がある。また、アプリもHandoffに対応していなければならない。

1 Handoff機能を有効にしておく

iPadとiPhoneで「設定」→「一般」→「AirPlayとHandoff」をタップし、「Handoff」のスイッチをオンにする。BluetoothとWi-Fiも有効にしておこう。

2 iPhone側のアプリで作業を行う

今回はiPhoneからiPadへ作業を受け渡す。Handoffに対応した標準のメモアプリでメモを作成してみよう。メールやSafari、マップもHandoffに対応している

3 iPadのアプリにHandoffマークが表示

iPadのDock右側に、iPhoneで作業中の（画面を開いている）アプリが表示。アイコン右上にHandoffマークも表示される。タップして起動し、作業を引き継ごう。

4 iPhoneと同じ状態で作業を引き継げる

iPadでメモアプリが起動し、作成途中のメモ画面が表示された。なお、iPadからiPhoneへ作業を引き継ぐ場合は、iPhoneのAppスイッチャーに表示されるバナーをタップすればよい

トラブル解決総まとめ

電源が入らない、アップデートしたアプリが起動しない、パスコードを
忘れてしまった…など、想定されるトラブルの解決法をまとめてフォロー。
iPadの紛失対策もあらかじめチェックしておこう。

動作にトラブルが発生した際の 対処方法

解決法 まずは機能の終了と 再起動を試そう

iPadはかなり動作の安定したハードウェアと言えるが、iPadOSアップデートの影響などで突然アプリが起動しなくなったり、通信が切れたり、動作が重くなったり、動かなくなるといったトラブルに見舞われる可能性はゼロではない。いざという時のために、基本的なトラブル対処法を覚えておこう。まず、各アプリをはじめ、Wi-FiやBluetoothなどの機能が動作しなかったり調子が悪いときは、該当するアプリや機能をいったん終了させて再度起動させるのが基本だ。強制終了してもまだ調子が悪いアプリは、一度削除してから再インストールし直してみよう。

iPadの画面が、タップしても何も反応しない「フリーズ」状態になってしまったら、本体を再起動してみるのが基本だ。電源／スリープボタン（＋音量ボタン）の長押しが効くなら、「スライドで電源オフ」で電源を切る。「設定」→「一般」→「システム終了」でも「スライドで電源オフ」を表示することができる。効かないなら、一定の操作を行うことで、強制的に電源を切って再起動できる。再起動してもまだ調子が悪いなら、「設定」→「一般」→「転送またはiPadをリセット」→「リセット」で、「すべての設定をリセット」や、「ネットワーク設定をリセット」といった項目を試してみる。または、P111の手順のとおり、「すべてのコンテンツと設定を消去」を実行して初期化してしまえば、本体に関するほとんどのトラブルは解決するはずだ。

まず試したいトラブル解決の基本対処法

通信トラブルは 機能をオンオフ

コントロールセンターのボタンではなく、「設定」の「Wi-Fi」や「Bluetooth」で各スイッチをタップしてオン／オフしてみる

Wi-FiやBluetoothがうまく通信できなかったり、接続が途切れたりする場合は、Wi-FiやBluetoothのスイッチを一度オフにしてからオンにしてみよう。

アプリを一度 完全終了してみる

画面の一番下から上にスワイプする途中で止めると、Appスイッチャーが表示される。不調なアプリを上にフリックして、強制終了させよう

アプリの動作がおかしいなら、画面の一番下から上にスワイプしてAppスイッチャー画面を開き、該当アプリを完全終了させてから再起動してみよう。

アプリを削除して 再インストールする

アイコンをロングタップして「Appを削除」をタップ。一度購入したアプリなら、App Storeで無料で再インストールできる

アプリを再起動しても調子が悪いなら、一度アプリを削除し、App Storeから再インストールしてみよう。これでアプリの不調が直る場合も多い。

本体の動作がおかしい、フリーズした場合は

本体の電源を切って 再起動してみる

ホームボタンのないiPadは電源／スリープボタンといずれかの音量ボタンを、ホームボタンのあるiPadは電源／スリープボタンを、スライダが表示されるまで押し続ける

電源／スリープボタン（＋音量ボタン）の長押しで表示される、「スライドで電源オフ」を右にスワイプして、一度本体の電源を切り再起動してみよう。

本体を強制的に 再起動する

フルディスプレイモデルの場合は、電源／スリープボタンに近い方の音量ボタンを押してすぐ離し、遠い方の音量ボタンを押してすぐ離し、電源／スリープボタンを押し続ける。ホームボタン搭載モデルの場合は、ホームボタンと電源／スリープボタンを同時に押し続けると、強制再起動する

「スライドで電源オフ」が表示されない場合は、デバイスを強制的に再起動することも可能だ。機種によって手順は異なる。

それでもダメなら 各種リセット

まだ調子が悪いなら「設定」→「一般」→「転送またはiPadをリセット」→「リセット」の各項目を試してみよう。データが消えてもいいなら、P111の通り初期化するのが確実だ。

iPadの電源が入らない時の確認

iPadを充電したのに電源が入らない時は、ケーブルや電源アダプタを疑おう。正規品を使わないとうまく充電できない場合がある。また、一度完全にバッテリー切れになると、ある程度充電してからでないと電源を入れることができない。

トラブル 02 紛失したiPadを見つけ出す方法

解決法 「探す」アプリで探し出せる

iPadの紛失に備えて、iCloudの「探す」機能を有効にしておこう。紛失したiPadが発信する位置情報をマップ上で確認できるようになる。探し出す際は、iPadやiPhone、Macの「探す」アプリを使うか、Windowsなどの場合はWebブラウザでiCloud.comへアクセスし、「iPhoneを探す」メニューを利用しよう。

紛失した端末のバッテリーが切れたりオフラインであっても諦める必要はない。バッテリー切れ直前の位置情報を発信したり、バッテリーが切れたあとも最大24時間は位置情報を取得できる。オフラインの時は、近くに第三者のiPhoneやMacがあれば位置情報を取得できる仕組みだ。さらに、iPadが初期化された状態でも探し出すことが可能だ。初期化されたiPadの画面には、現在ロック中で、位置を特定でき、所有者は今も元のユーザーであることが表示されて盗品の売買を防止する。

また、「紛失としてマーク」を利用すれば、即座にiPadをロック（パスコード未設定の場合は遠隔で設定）したり、画面に拾ってくれた人へのメッセージと電話番号を表示して、連絡してもらえるようにお願いできる。地図上のポイントを探しても見つからない場合は、「サウンドを再生」で徐々に大きくなる音を鳴らしてみる。発見が難しく情報漏洩阻止を優先したい場合は、「このデバイスを消去」をタップしてすべてのコンテンツや設定を削除してしまおう。

事前の設定と紛失時の操作手順

1 Apple IDの設定で「探す」をタップ

タップ

設定のApple IDをタップして「探す」→「iPadを探す」をタップ。なお「設定」→「プライバシー」→「位置情報サービス」のスイッチもオンにしておくこと。

2 「iPadを探す」の設定を確認

すべてオンにしておく

「iPadを探す」がオンになっていることを確認しよう。また、「"探す"ネットワーク」と「最後の位置情報を送信」もオンにしておく。

3 「探す」アプリで紛失したiPadを探す

「デバイスを探す」タブで紛失したiPad名をタップ

iPadを紛失した際は、同じApple IDでサインインした他のiPhoneやiPad、Macで「探す」アプリを起動。Windowsの場合は、WebブラウザでiCloud.comへアクセスし、「iPhoneを探す」メニューを開こう。紛失したiPadを選択すれば、現在地がマップ上に表示される。

4 サウンドを鳴らして位置を特定

タップして音を鳴らす。デバイスがオフラインだと「保留中」と表示され、次にオンラインになった時に再生される。「検出時に通知」をオンにすると、紛失した端末がオンラインに復帰した時に、メールで知らせてくれる。また、「手元から離れたときに通知」をオンにしておけば、そのデバイスをどこかに置き忘れたときにiPhoneに通知してくれる

マップ上のポイントを探しても見つからない時は、「サウンド再生」をタップ。徐々に大きくなるサウンドが約2分間再生される。

5 紛失としてマークで端末をロックする

タップして、画面に表示する電話番号やメッセージを入力する

「紛失としてマーク」の「有効にする」をタップすると、端末が紛失モードになり、iPadは即座にロックされる。またApple Payも無効になる。

6 情報漏洩の阻止を優先するなら端末を消去

iPadのデータを消去しても、アカウントからデバイスを削除しなければ、持ち主の許可なしにデバイスを再アクティベートできないので、紛失した端末を勝手に使ったり売ったりすることはできない。オフラインのデバイスは「このデバイスを削除」（iCloud.comでは「アカウントから削除」）も選択できるが、削除するとApple IDとの関連付けが解除され、初期化後は誰でも使える状態になる。売却などで完全に手放すとき以外は選ばないようにしよう

「このデバイスを消去」をタップすると、iPadのすべてのデータを消去して初期化できる。消去したあとでもiPadの現在地は確認できる。

iCloud.comでも探せる

パソコンのWebブラウザおよびiPadやiPhoneのSafariでiCloud.com（https://www.icloud.com/）にアクセスし、「iPhoneを探す」画面を開いても、紛失した端末を探すことが可能だ。サウンドの再生や紛失モードなども実行できる。

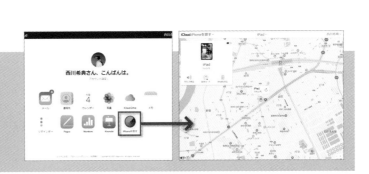

西川希典さん、こんばんは。

トラブル 03 破損などの解決できない トラブルに遭遇したら

解決法 「Appleサポート」アプリを 使ってトラブルを解決しよう

どうしても解決できないトラブルに見舞われたら、「Appleサポート」アプリを利用しよう。Apple IDでサインインし、サイドバーを開いて端末と症状を選択すると、主なトラブルの解決方法が提示される。さらに、電話サポートに問い合わせしたり、アップルストアなどへの持ち込み修理を予約することも可能だ。

Appleサポート
作者／Apple
価格／無料

まずは、AppleサポートアプリをインストールしてApple IDでサインインしたら、トラブルが発生した端末と、その症状を選んでタップしよう。

アップルストアなどに持ち込み修理を予約したり、サポートに電話して問い合わせたり、トラブル解決に役立つ記事を読むなどの方法で解決できる。

トラブル 04 誤って「信頼しない」を タップした時の対処法

解決法 「位置情報とプライバシーをリセット」を タップする

iPadをパソコンに初めて接続すると、「このコンピュータを信頼しますか?」の警告が表示され、「信頼」をタップすることでiPadへのアクセスを許可する。この時、誤って「信頼しない」をタップした場合は、「位置情報とプライバシーをリセット」を実行することで警告画面を再表示できる。

「設定」→「一般」→「転送またはiPadをリセット」→「リセット」→「位置情報とプライバシーをリセット」をタップしてリセットを実行する。

パソコンなどとケーブルで接続すると、「このコンピュータを信頼しますか?」の警告が再表示されるようになるので、「信頼」をタップしよう。

トラブル 05 パスコードを忘れてしまった

解決法 一度消去してバックアップから 復元すればリセットされる

画面ロックのパスコードをうっかり忘れても、「iCloudバックアップ」(P034)さえ有効なら、そこまで深刻な状況にはならない。「探す」アプリやiCloud.comでiPadのデータを消去したのち、初期設定中にiCloudバックアップから復元すればいいだけだ。最新のバックアップが作成されているか不明なら、電源とWi-Fiに接続された状態(5G対応のセルラーモデルはモバイル通信接続時でもOK)で一晩置けば、バックアップが作成される可能性がある。

1 「探す」アプリなどで iPadを初期化

他にiPhoneやiPad、Macを持っているなら、「探す」アプリで完全にロックされたiPadを選択し、「このデバイスを消去」で初期化しよう。また、WebブラウザでiCloud.comにアクセスし、「iPhoneを探す」画面から初期化することもできる。

2 iCloudバックアップ から復元する

iCloudバックアップが最新状態か不安な時は、端末を消去する前に、電源とWi-Fiに接続した状態で一晩置いておこう。iCloudバックアップの自動作成タイミングは分からないので確実ではないが、最新のバックアップが作成される可能性がある

初期設定中の「Appとデータ」画面で「iCloudバックアップから復元」をタップして復元しよう。前回iCloudバックアップが作成された時点に復元しつつ、パスコードもリセットできる。

3 同期済みの パソコンがある場合は

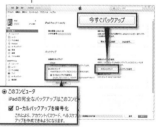

一度iPadと同期したパソコンがあれば、iPadがロック中でもパソコンと接続でき、「今すぐバックアップ」で最新のバックアップを作成できる。念の為、「このコンピュータ」と「ローカルバックアップを暗号化」にチェックして、各種IDやパスワードも含めた暗号化バックアップを作成しておこう。あとは「探す」アプリなどでiPadを初期化し、初期設定で「MacまたはPCから復元」を実行すればよい。

トラブル 06 iPadOSの自動アップデートを設定する

解決法 電源とWi-Fiに接続中の夜間に自動更新させよう

iPadの基本ソフト「iPadOS」は、アップデートによって不具合の修正や新機能の追加が行われるので、なるべく早めに更新したい。設定で「自動アップデート」をオンにしておけば、電源とWi-Fiに接続中の夜間に、自動でダウンロードおよびインストールを済ませてくれる。自分のタイミングで更新したい人はオフにしておこう。

「自動アップデート」をタップ。なお iPadOS 14からiPadOS 15など大きくバージョンが変わる際は、この画面でiPadOS 15にアップデートするか、セキュリティアップデートだけ適用してiPadOS 14のまま使い続けるか、ユーザーが選べるようになっている

新しいiPadOSが配信されたら自動で更新させるには、まず「設定」→「一般」→「ソフトウェア・アップデート」→「自動アップデート」をタップ。

自動ダウンロードだけオンにして、インストールをオフにしておくと、自分のタイミングで手動インストールできる

両方オンにしておけば、Wi-Fi接続中に更新ファイルを自動ダウンロードし、電源とWi-Fi接続中の夜間に自動でインストールしてくれる。

トラブル 07 誤って登録された予測変換を削除したい

解決法 キーボードの変換学習を一度リセットしよう

タイプミスなどの誤った単語を学習してしまい、キーボード入力時の変換候補として表示される場合は、「一般」→「転送またはiPadをリセット」→「リセット」→「キーボードの変換学習をリセット」を実行して、一度学習内容をリセットさせよう。ただしこの操作を実行すると、すべての変換候補が消えてしまうので注意しよう。

キーボードの変換学習をリセット

「設定」→「一般」→「転送またはiPadをリセット」→「リセット」をタップし、続けて「キーボードの変換学習をリセット」をタップしよう。

本体のパスコードを入力して、「リセット」ボタンをタップすれば、学習した予測変換候補が消えて表示されなくなる。

トラブル 08 アップデートしたアプリが起動しない時は

解決法 一度削除して再インストールしてみよう

アップデートしたアプリがうまく起動しなかったり強制終了する場合は、そのアプリを削除して、改めて再インストールしてみよう。これで動作が正常に戻ることが多い。一度購入したアプリは、購入時と同じApple IDでサインインしていれば、App Storeから無料で再インストールできる。

アプリの動作がおかしかったりうまく起動しない場合は、一度削除してみよう。ホーム画面でアプリをロングタップし、「Appを削除」をタップすれば、アンインストールできる。

タップして再インストール

App Storeで、削除したアプリを検索して再インストールしよう。一度購入したアプリは、インストールボタンがクラウドアイコンになり、これをタップすれば無料で再インストールできる。

トラブル 09 Appleの保証期間を確認、延長したい

解決法 AppleCare+ for iPadで2年まで延長可能

すべてのiPadには、製品購入後1年間のハードウェア保証と90日間の無償電話サポートが付く。自分のiPadの残り保証期間は「設定」→「一般」→「情報」画面などで確認しよう。保証期間を延長したい場合は、有料の「AppleCare+ for iPad」に加入すれば、ハードウェア保証／電話サポートとも2年まで延長される。

他に「Appleサポート」アプリ（P108で解説）でも確認できるほか、本体が動作しないなら保証状況の確認ページ（https://checkcoverage.apple.com/jp/ja/）でシリアル番号を入力すれば確認できる。シリアル番号は製品の箱に記載されている

本体の「設定」→「一般」→「情報」にある、「限定保証」や「AppleCare+」、「保証期限切れ」などの項目でiPadの残り保証期間を確認できる。

「Apple Care+ for iPad」は、iPad購入後30日以内でなければ加入できないので注意しよう

有料の「AppleCare+ for iPad」に加入すれば、ハードウェア保証と電話サポートの期間を2年に延長できる。iPad本体だけでなく、付属品にも延長保証が適用される。

トラブル 10 Apple IDのIDや パスワードを変更する

解決法 設定のApple ID画面から 変更が可能

App StoreやiCloud、iTunes Storeなどで利用するApple IDのID（メールアドレス）やパスワードは、「設定」の一番上のApple IDから変更できる。IDを変更したい場合は、「名前、電話番号、メール」をタップ。続けて「編集」をタップして現在のアドレスを削除後、新しいアドレスを設定する。ただし、作成して30日以内の@icloud.comメールアドレスはApple IDにできない。パスワードを変更したい場合は、「パスワードとセキュリティ」→「パスワードの変更」をタップしよう。

1 | Apple IDの 設定画面を開く

変更したい項目をタップ

「設定」の一番上のApple IDの項目をタップしよう。続けて登録情報を変更したい項目をタップする。

2 | Apple IDの アドレスを変更する

編集

「編集」でApple IDアドレスの「ー」をタップして削除し、新しいアドレスを設定する。作成して30日以内の@icloud.comメールアドレスはApple IDにできないので注意しよう

IDのアドレスを変更するには、「名前、電話番号、メール」をタップし、続けて「編集」をタップ。現在のアドレスを削除後、新しいアドレスを設定する。

3 | Apple IDの パスワードを変更

タップ

「パスワードとセキュリティ」で「パスワードの変更」をタップし、本体のパスコードを入力後、新規のパスワードを設定することができる。

トラブル 11 気付かないで払っている 定期購読をチェック

解決法 設定のApple ID画面で 確認とキャンセルが可能

月単位などで定額料金が必要な「サブスクリプション」契約のアプリやサービスは、必要な時だけ利用できる点が便利だが、うっかり解約を忘れると、使っていない時にも料金が発生するし、中には無料を装って月額課金に誘導する悪質なアプリもある。いつの間にか不要なサービスに課金し続けていないか、確認方法を知っておこう。

タップ

「設定」の一番上のApple IDをタップし、続けて「サブスクリプション」をタップする。

外部のサイトなどで契約したサブスクリプションは、ここには表示されないので要注意

現在利用中や有効期間が終了したサブスクリプションのサービスを確認できる。この画面から、サービスのキャンセルも行える。

トラブル 12 Apple IDの90日間制限 を理解する

解決法 複数アカウントの 使い分けに注意しよう

Apple Musicに登録したり、iTunes StoreやApp Storeでの購入済みアイテムのダウンロード、自動ダウンロードの有効化といった操作を行うと、このiPadとApple IDは関連付けられる。以後90日間は、他のApple IDに切り替えても、購入済みアイテムをダウンロードできなくなる場合があるので注意しよう。

Apple Musicなどを利用すると、現在のApple IDと関連付けされる

Apple Musicなどを利用すると、このiPadに購入済みアイテムをダウンロードできるApple IDは、基本的にiTunes／App Storeにサインイン中のものだけになる。

このデバイスはすでに Apple ID に関連付けられています。 この Apple ID を使ってこれまで購入したアイテムをダウンロードすると、以後90日間は他の Apple ID による自動ダウンロードやこれまで購入したアイテムのダウンロードができなくなります。

キャンセル　転送

他の Apple ID でサインインし直して購入済みのアイテムをダウンロードしようとすると、「すでにApple ID に関連付けられている」と警告される。

トラブル 13 トラブルが解決できない時のiPad初期化方法

解決法 多くの問題は端末の初期化で解決する

P106で紹介したトラブル対処をひと通り試しても動作の改善が見られないなら、端末を初期化してしまうのが、もっとも簡単で確実なトラブル解決方法だ。ただ初期化前には、バックアップを必ず取っておきたい。iCloudは無料だと容量が5GBしかないので、以前は空き容量が足りない際にバックアップ項目を減らす必要があった。しかし現在は、iCloudの空き容量が足りなくても、「新しいiPadの準備」を利用することで、一時的にすべてのアプリやデータ、設定を含めたiCloudバックアップを作成できる。写真ライブラリ（P075で解説）をバックアップすれば、端末内の写真の復元も可能だ。バックアップが保存されるのは最大3週間なので、その間に復元を済ませよう。iCloudでバックアップを作成できない状況なら、パソコンで暗号化バックアップする。パソコンのストレージ容量が許す限りiPadのデータをすべてバックアップでき、iCloudではバックアップしきれない一部のログイン情報なども保存される。

なお、iPadが初期化しても直らないような深刻なトラブルであれば、最終手段として「リカバリモード」を試そう。リカバリモードを実行すると、完全に工場出荷時の状態に初期化されたのち、iTunes（MacではFinder）からデータを復元することになる。それでもダメなら、Appleサポートアプリ（P108）などで、持ち込み修理を予約しよう。

iPadを初期化してiCloudバックアップで復元

1 「新しいiPadの準備」を開始

タップ

まず「設定」→「一般」→「転送またはiPadをリセット」で「新しいiPadの準備」の「開始」をタップし、一時的にiPadのすべてのデータを含めたiCloudバックアップを作成する。

2 iPadの消去を実行する

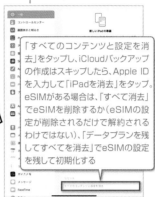

「すべてのコンテンツと設定を消去」をタップし、iCloudバックアップの作成はスキップしたら、Apple IDを入力して「iPadを消去」をタップ。eSIMがある場合は、「すべて消去」でeSIMを削除するか（eSIMの設定が削除されるだけで解約されるわけではない）、「データプランを残してすべてを消去」でeSIMの設定を残して初期化する

バックアップが作成されたら、「設定」→「一般」→「転送またはiPadをリセット」→「すべてのコンテンツと設定を消去」をタップして消去を実行しよう。

3 iCloudバックアップから復元する

タップ

初期化した端末の初期設定を進め、「Appとデータ」画面で「iCloudバックアップから復元」をタップ。最後に作成したiCloudバックアップデータを選択して復元しよう。

パソコンのバックアップからの復元とリカバリモード

1 パソコンでバックアップを作成する

iPadでiCloudバックアップを作成できないなら、パソコンのiTunes（MacではFinder）でバックアップを作成しよう。iPadをパソコンと接続して、「このコンピュータ」と「ローカルバックアップを暗号化」にチェック。パスワードを設定すると、暗号化バックアップの作成が開始される。この暗号化バックアップから復元すれば、ログイン情報なども引き継げる。

2 パソコンのバックアップから復元する

タップ

iPadを消去したら初期設定を進めていき、途中の「Appとデータ」画面で「MacまたはPCから復元」をタップ。パソコンに接続し作成したバックアップから復元する。

最終手段はリカバリモードで初期化

iCloudでもパソコンでも初期化できないなら、リカバリモードを試そう。iPadをパソコンと接続してiTunes（MacではFinder）を起動し、フルディスプレイモデルの場合は、電源／スリープボタンに近い方の音量ボタンを押してすぐ離し、遠い方の音量ボタンを押してすぐ離し、電源／スリープボタンを押し続ける。ホームボタン搭載モデルの場合は、ホームボタンと電源／スリープボタンを同時に押し続ける。リカバリモードの画面が表示されたら、まず「アップデート」をクリックして、iPadOSの再インストールを試そう。それでもダメなら「復元」をクリックし、工場出荷時の設定に復元する

写真やビデオをパソコンにバックアップ

iPadで撮影した写真やビデオを、iCloudに保存するにしても、iPadのストレージに保存するにしても、いずれ空き容量は足りなくなる。パソコンを持っているなら、古い写真は定期的にパソコンへ手動バックアップしておこう。

iPadとパソコンをケーブルで接続し、iPadの画面ロックを解除すると外付けデバイスとして認識される。「Internal Storage」→「DCIM」の年月別フォルダに撮影した写真やビデオが保存されているので、ドラッグ&ドロップでコピーしよう。

トラブル解決総まとめ

iPad
完全マニュアル
2022

２０２０年１１月３０日 発行

編集人　清水義博
発行人　佐藤孔建

発行・　スタンダーズ株式会社
発売所　〒160-0008
　　　　東京都新宿区四谷三栄町
　　　　12-4 竹田ビル3F
　　　　TEL 03-6380-6132

印刷所　三松堂株式会社

iPad　Perfect　Manual

Staff

Editor
清水義博（standards）

Writer
西川希典

Cover Designer
高橋コウイチ（WF）

Designer
高橋コウイチ（WF）
越智健夫

本書の記事内容に関するお電話での
ご質問は一切受け付けておりません。
編集部へのご質問は、書名および何
ページのどの記事に関する内容かを詳
しくお書き添えの上、下記アドレスまでE
メールでお問い合わせください。内容に
よってはお答えできないものや、お返事
に時間がかかってしまう場合もあります。
info@standards.co.jp

ご注文FAX番号　03-6380-6136

https://www.standards.co.jp/